O'R CYRION

O'r Cyrion

Casgliad o storïau byrion
gan

Ioan Kidd

Gomer

Argraffiad cyntaf – 2006

ISBN 1 84323 698 2
ISBN-13 9781843236986

Dymuna'r cyhoeddwyr gydnabod cymorth
Adrannau Cyngor Llyfrau Cymru.

Argraffwyd yng Nghymru gan
Wasg Gomer, Llandysul, Ceredigion

I'm rhieni
a'm chwiorydd.

Dymuna'r awdur ddiolch i Wasg Gomer am eu gwaith cymen ac yn enwedig i'r golygydd, Bryan James, am ei awgrymiadau a'i gefnogaeth.

Cyhoeddwyd 'Talu'r Pris' yn *Taliesin* 109 (Haf 2000). Mae Gwasg Gomer yn diolch i olygyddion y cylchgrawn am roi eu caniatâd i'w hailgyhoeddi yma. Cyhoeddwyd 'Angladd yn y Wlad' yn *A Sydd am Afal* gan Wasg Annwn (1989). Diolchir hefyd i'r wasg honno am ganiatâd i'w hatgynhyrchu.

CYNNWYS

Señor Gales   11

Yr Ymwelydd   28

Arwr Lleol   39

Talu'r Pris   47

Angladd yn y Wlad   61

Stafelloedd   66

Lle Bach yn yr Haul   79

Gadael ei Hôl   91

Señor Gales

Pan welodd Meilyr Llwyd y tŷ mawr, gwyn ym mhen draw'r sgwâr, gwyddai'n reddfol ei fod e wedi cyrraedd y man iawn. Casa Gran oedd yr unig adeilad gwreiddiol ar ôl ar Plaça de Catalunya. Roedd ei gyfoedion wedi syrthio gerbron allor cynnydd yn y 1970au cyn i'r bobl leol, a'r rhai llai lleol, sylweddoli bod angen mwy na haul, hwyl a heli i ddenu'r ymwelwyr yn ôl i'r Costa Brava flwyddyn ar ôl blwyddyn. Cibddall oedd peidio â chadw rhyw lun ar dreftadaeth, meddyliodd Meilyr, hyd yn oed os taw treftadaeth *kitsch* ar gyfer y twrist oedd honno. Ac yntau'n enedigol o Geredigion, gwyddai cystal â neb am yr angen i addasu, a sut i apelio at y bobl o bant a chwenychai dalp o etifeddiaeth y brodorion wedi'i lapio'n becynnau penwythnosol, cyfleus. Rhywbeth handi i fynd adref gyda nhw. Rhywbeth i ddad-wneud y pwysau dinesig. I lenwi'r atgofion. I lenwi'r gwacter. Dyna oedd y gêm ledled y byd, bellach. Dim ond y ffôl oedd yn gwrthod ildio. Erbyn iddo groesi'r sgwâr a dod i sefyll yn union o flaen Casa Gran, gwelsai Meilyr ddigon i'w argyhoeddi ei hun ei fod wedi dewis yn ddoeth. Am y pum niwrnod nesaf dyma fyddai ei becyn cyfleus yntau.

Roedd yn dŷ urddasol a gawsai ei godi, wrth ei olwg, yn y dull Catalanaidd, traddodiadol gyda drws pren, trwm yn y canol wedi'i baentio'n wyrdd, a ffenest hir, gul bob ochr iddo. Ar yr ail a'r trydydd llawr roedd ffenestri hir, tebyg ond bod balconi cul o flaen pob un. Roedd y gwres eisoes yn llethol a hithau ond yn ddeg o'r gloch y bore. Ym mhob rhan o Plaça de Catalunya roedd rhyw olygfa ddramatig naill ai'n cychwyn neu'n cyrraedd ei phenllanw, a'r unig gynulleidfa gyson oedd yr hen bobl yn eu dillad du, ystrydebol a wyliai'r theatr feunyddiol yn ddifater o falconïau'r fflatiau lled fodern ar bob ochr i'r sgwâr. Ymhen awr a hanner, byddai'r haul tanbaid yn rhy ormesol gan orfodi pawb ond y twristiaid a'r gweithwyr a'u gwasanaethai i gwato dan do, ond tan hynny roedd bywyd yn cael ei ddathlu yn ei gyfanrwydd, ac ym mhobman roedd y sŵn yn fyddarol.

Pwysodd Meilyr ei fys ar y botwm plastig ar ymyl y drws (yr unig beth a fradychai'r darlun perffaith), a chlywodd y gloch yn canu ym mherfeddion y tŷ. Yn y man, roedd sŵn symud ffwdanus i'w glywed o'r ochr draw. Eiliadau'n ddiweddarach, agorodd y drws a safai gwraig luniaidd, ganol oed rhwng goleuni llachar y sgwâr a chysgodion y cyntedd dwfn, diolau. Edrychodd i fyw llygaid Meilyr fel petai'n chwilio am ryw arwydd ganddo, ond yn union fel petai wedi'i hyfforddi i ymdopi â sefyllfaoedd fel hyn gannoedd o weithiau bob dydd, ni ddywedodd hi'r un gair rhag ofn i hwnnw fod yn ormod. Meilyr oedd y cyntaf i dorri'r mudandod.

'*Hola! Buenos días. Me llamo Meilyr Llwyd.*'

Difynegiant oedd wyneb y wraig ganol oed o hyd a suddodd calon Meilyr wrth iddo ymbalfalu am ei ychydig eiriau o Sbaeneg. Teimlai'n lletchwith ac yn siomedig. Doedd e ddim am iddi feddwl ei fod e fel y miliynau o Saeson uniaith a heidiai i'r rhan yma o'r byd bob haf yn disgwyl i bopeth fod yn estyniad heulog o'u Midlands neu'r Home Counties. Gallai siarad tair iaith yn rhugl, ond doedd y Sbaeneg ddim yn digwydd bod yn un o'r rheini, na'r Gatalaneg, chwaith, o ran hynny. Ac yntau'n benderfynol o ymddangos fel Ewropead pybyr, trodd yn ei argyfwng at y Ffrangeg.

'Bonjour. Je m'appelle Meilyr Llwyd. J'ai réservé une chambre ici pour cinq jours. Monsieur Gwilym Huws, il est là?'

'Si! Si! Señor Gales!' Gwenodd hithau, a throdd tuag at y cyntedd tywyll gan amneidio'n egnïol ar Meilyr i'w dilyn.

'Señor Gales! Señor Gales! El ha llegado!' Diflannodd y wraig i ganol y düwch a phan gaeodd y drws o'i ran ei hun, cafodd Meilyr gryn drafferth gweld y llwybr trwy'r tŷ am nad oedd ei lygaid wedi cael cyfle i ymgyfarwyddo â'r amgylchiadau newydd. Y peth nesaf a welodd oedd dyn mewn siwt liain, wen yn hwylio tuag ato.

'Meilyr! Shwd wyt ti? Croeso 'machgen i! Croeso i Casa Gran. Dod yr hen fag 'na lawr a dere i ga'l rhwbeth ôr i yfed. Mae'n rhaid bod syched y diawl arnot ti!'

Ar hynny, cydiodd y dyn golygus yn ei law a'i hysgwyd yn gynnes. Hwn, felly, oedd Gwilym Huws, neu Señor Gales, fel y câi ei adnabod yn lleol. Dilynodd Meilyr ei westeiwr drwodd i gefn y tŷ ac allan i ardd foethus. Doedd hi ddim yn ardd arbennig o fawr, ond roedd hi'n llawn planhigion anghyfarwydd, gwyrdd, ac yma a thraw roedd fflach o liw egsotig yn hawlio sylw. O'i chwmpas roedd mur uchel, gwyn. Wrth edrych yn fanylach, gwelodd Meilyr nad oedd hi'n ardd fawr o gwbl. Roedd hi'n eithaf bach, mewn gwirionedd, ond roedd yr argraff yn un o gyfoeth a phleser, ac ar wahanol adegau o'r dydd roedd dihangfa rhag yr haul.

'Gest ti siwrne dda? Caerdydd i Barcelona ife? O'r diwedd ma' Maes Awyr Rhyngwladol Caerdydd yn driw i'w enw ac yn hedfan awyrenne i lefydd mwy diddorol nag Aberdeen a Newcastle. Er, erbyn meddwl, ma'r ddou le 'na'n rhyngwladol i ni'r Cymry, hefyd, ond diawl ma nhw'n ddiflas!' Gwenodd y Cymro canol oed yn bryfoclyd, ac yna dechreuodd chwerthin yn uchel. 'María, dere draw fan hyn i weud helô yn iawn.'

Croesodd María y llawr teils yn hamddenol ac eistedd wrth ei ochr ar y soffa wiail. Dim ond y diniweitiaf o blant Duw fyddai wedi methu â gweld bod mwy i'r berthynas hon na morwyn a meistr, a doedd Meilyr ddim yn ddiniwed.

'Dyma'r fenyw fwya synhwyrus ar y Costa Brava gyfan! A ti'n gwbod beth? Nid Cataliad mohoni, na Sbaenes chwaith. Wyt ti 'rio'd wedi cwrdd â rhywun o Nicaragwa, Meilyr?' Taenodd ei law ar hyd ei chlun ac ymatebodd hithau trwy blygu ei phen a'i orffwys ar ei ysgwydd. 'Dyma iti dalp o America Ganol nwydus.' Cydiodd yn ei llaw a'i gwasgu'n dyner. Yna, â balchder o fath gwahanol, cyhoeddodd ei fod am glywed y newyddion diweddaraf o gartref.

Cododd María a diflannodd i'r tŷ i hôl diodydd fel petai wedi synhwyro bod newid yng nghyfeiriad y sgwrs. Suddodd calon Meilyr am yr eildro ers cyrraedd Casa Gran wrth ddychmygu cwestiynau di-rif am hynt y tîm rygbi cenedlaethol a'r Eisteddfod a'r 'Nawrte, un o bwy bart wyt ti?' anorfod na fyddai byth yn rhy hir cyn ymwthio i'r wyneb mewn sgwrs rhwng dau Gymro dieithr. Onid oedd e wedi dod i'r lle yma er mwyn cael diffodd y caricatur cenedlaethol am ychydig ddyddiau?

'Y Cynulliad. Ody e'n gwneud gwahaniaeth, Meilyr? Achos os nag yw e, dihoeni wnaiff e.'

Gobeithiai Meilyr nad oedd y syndod i'w weld yn rhy amlwg ar ei wyneb. Cawsai ei lorio gan wreiddioldeb diflewyn-ar-dafod y Cymro alltud a'i orfodi i newid ei feddwl yn llwyr am y dyn o'i flaen.

'Ody'r bobol drosto fe?' gofynnodd cyn i Meilyr gael cyfle i ateb ei gwestiwn blaenorol. 'Ma'n rhaid iddyn nhw neud yn siwr nad yw'r gwleidyddion yn 'i dagu fe. Dyna fydde'r drychineb waetha un.'

Ar hynny, cododd o'r soffa wiail a chrwydro'n araf draw at degeirian melyn a dyfai ar ei ben ei hun ar odre'r ardd. Roedd ei wyneb wedi cymylu ac roedd ei holl osgo'n awgrymu nad oedd yn disgwyl atebion. Safai â'i gefn at ei ymwelydd a syllu'n hir ar y llawr teils.

'Wyt ti'n gweld yr ardd yma? 'Y nghreadigaeth i yw'r cyfan. Fi a'r Bod Mawr. Wi'n treulio orie 'ma bob dydd, yn plannu ac yn tendo. Dyna'r unig beth sy'n neud synnwyr, bellach. Wyt ti'n gwbod beth yw hwn, Meilyr? 'Sdim ffrwyth arno fe eto, ond ti'n siwr o fod wedi byta dege ar ddege o ffrwythe'r planhigyn yma pan o't ti'n grwt. Ti'n moyn i fi weud 'tho ti? Wnei di byth ddyfalu. Pomgranad yw e, o ochor draw Môr y Canoldir. A fan hyn ma' lafant o Brofens. A gwinwydden yw hon sy'n tyfu ar hyd y wal.' Erbyn hyn, roedd y dyn canol oed wedi adennill ei egni cychwynnol ac yn brasgamu o un planhigyn i'r llall fel rhiant balch yn brolio gogoniannau ei epil. 'A dyma gornel fach o gatre. Y pabi Cymreig. Nabyddest ti fe?' Yna, aeth i'w gwrcwd a lapiodd ei fysedd o amgylch un o'r blodau bregus. 'Os tagi di rwbeth gwerthfawr heb roi cyfle iddo dyfu i'w lawn dwf wnei di byth ddod i wbod ei botensial.'

Ymhen ychydig dychwelodd i eistedd ar y soffa wiail a dodi pen y pabi oren i orwedd ar y ford isel rhyngddo fe a'i westai.

'Ta beth, ble ma'r diodydd 'na? Dere drwodd, Meilyr. Yn y funud a' i â ti lan i dy stafell. María!'

*   *   *

Doedd Meilyr ddim wedi gweld ei gyd-Gymro ers y croeso hwnnw ddeuddydd ynghynt. Eto i gyd, ble bynnag yr âi, doedd presenoldeb *Señor Gales* byth yn bell. Y noson gyntaf, aethai Meilyr, yn ôl ei gymeradwyaeth frwd, i gael swper yn ei hoff fwyty ar y promenâd gan orfod cyfaddef er ei waethaf na chawsai mo'i siomi. Unwaith iddo sôn wrth y prif weinydd ei fod yn adnabod *Señor Gales* roedd y gwasanaeth, yn ogystal â'r bwyd, o'r safon uchaf, ac roedd y lleoliad, bord fach yn y ffenest yn edrych dros y môr llonydd a goleuadau lliwgar y bae yn adlewyrchu ar y dŵr, yn baradwysaidd.

Drannoeth roedd e wedi ildio i ddoniau perswâd ei westeiwr y diwrnod cynt a dringo i ben y bryn serth y tu ôl i'r dref i weld drosto'i hun ddarn o'r hanes lleol. Fersiwn Gwilym Huws o'r gorffennol a gawsai, ond doedd dim ots gan Meilyr am hynny. Pa well na Chymro Ewropeaidd ei ogwydd i gadw'r gorffennol yn fyw? Roedd y brodorion yn rhy brysur yn canolbwyntio ar y presennol ac yn adeiladu'r dyfodol. Doedd fawr o siâp ar y pentyrrau o gerrig yma a thraw a ddynodai weddillion y gaer Rufeinig, ac wrth iddo chwysu yn yr haul tanbaid ganol dydd i gyrraedd y copa, daethai'r geiriau 'cŵn gorffwyll' a 'Saeson' i'w feddwl fwy nag unwaith. Ond yn unol ag addewid *Señor Gales*, roedd yr olygfa ar hyd yr arfordir yn ogoneddus. Gwelsai bron mor bell â Barcelona tua'r de, a'r tu ôl iddo, yn y pellter, roedd cyffro mynyddoedd y Pyreneau a'r ffin â Ffrainc.

Heddiw, fodd bynnag, roedd Meilyr yn benderfynol o gael diwrnod o'i ddewis ei hun. Cerddodd draw at y ffenest hir, agored yn ei stafell chwaethus a chamu allan i'r balconi cul. O'r fan honno gallai wylio'r mynd a dod parhaus heb orfod poeni am weddustra a ffug barchusrwydd. Yn un peth, roedd pawb wedi ymgolli gormod yn eu busnes eu hunain i sylwi ar rywun yn edrych i lawr arnyn nhw o drydydd llawr Casa Gran, ac yn ail, roedd gwylio yn rhan o gonfensiwn y wlad hon. Roedd pobl yn ei ddisgwyl. Wrth iddo sefyll yno'n amsugno'r naws, sylwodd fod nifer anghyffredin o uchel o'r traffig dynol yn stopio wrth ddrws ffrynt y tŷ lle roedd e'n aros. Eiliadau'n ddiweddarach byddai'r gloch i'w chlywed yn canu'n denau rywle yng nghrombil yr adeilad ac yna sŵn y drws trwm yn agor oddi tano. Wedi iddo ddigwydd sylwi ar hyn y troeon cyntaf dechreuodd Meilyr gyfrif yn fwy gofalus. O fewn llai na hanner awr roedd saith o bobl wedi canu'r gloch a bob tro, ar ôl rhyw funud o ymgom i lawr ar lefel y stryd, byddai'r ymwelydd yn troi a mynd yn ôl ar hyd y pafin i'r cyfeiriad y daethai ohono. Gwenodd heb feddwl rhagor am y peth a phenderfynodd yr âi i orwedd ar y traeth i ddarllen, i folaheulo ac i ymlacio.

Roedd e hanner ffordd trwy ei wyliau byr yn barod ac roedd am flasu pob munud o'r ddau ddiwrnod a hanner oedd yn weddill. Deuai'r daith adref i Gymru'n rhy fuan o lawer, a'r wythnos nesaf byddai 'nôl wrth ei ddesg yn y swyddfa ddienaid yn Aberystwyth yn cyfansoddi datganiadau dibwys i'r wasg na fyddai neb byth yn eu darllen. Roedd yr arian yn dda, ond roedd y gwaith yn gachlyd.

Disgynnodd y grisiau carreg, cul a arweiniai o'i stafell hyd at y cyntedd tywyll. Dan ei gesail roedd ei dywel wedi'i rolio'n dwt ac yn ei law cariai ei lyfr. Roedd e ar fin agor y drws pan ganodd y gloch am y canfed tro y bore hwnnw. Yr eiliad nesaf ymddangosodd María yn annisgwyl o sydyn. Rhuthrodd tuag ato ar frys diangen. Clywsai hithau'r gloch o'r ardd yn y cefn a rhaid ei bod wedi clywed sŵn ei gamau ar deils y cyntedd. Aeth yn syth am y drws, gan daflu cip brysiog ar Meilyr, cyn ei agor. Yr un oedd yr edrychiad â'r cyfarchiad difynegiant hwnnw a welsai ar ei hwyneb pan gyrhaeddodd ddeuddydd ynghynt. Ar y pafin cul safai dyn ifanc, digon cyffredin yr olwg. Cyfarfu llygaid y dyn â llygaid María, ond ni ddywedwyd yr un gair. Doedd dim angen geiriau, penderfynodd Meilyr. Roedd e'n dyst i'r ddealltwriaeth berffaith rhyngddyn nhw. Gan efelychu'r un cynildeb, camodd Meilyr heibio i'r dyn ar y pafin a dechreuodd gerdded ar hyd ochr y sgwâr gan ofalu cadw at y cysgodion. Pan gyrhaeddodd y gornel agosaf arafodd ac edrych dros ei ysgwydd i gyfeiriad Casa Gran. Gwelodd y dyn ifanc yn gwasgu ei law i boced gefn ei drowsus denim cyn troi, fel pob un o'r lleill y bore hwnnw, a diflannu i'r cyfeiriad arall.

Aeth Meilyr yn ei flaen ar hyd y labrinth o hewlydd cul a droellai'n igam-ogam i lawr at y traeth. Arhosodd yno gyda'i lyfr a'i eli haul am awr a hanner hyd nes i'r gwres ei drechu. Doedd e erioed wedi bod yn un i orweddian ar dywod am oriau bwygilydd, hyd yn oed tra oedd e ar ei wyliau. Roedd cael ei fagu mewn pentref glan môr yng Ngheredigion wedi'i wneud yn ddi-hid, braidd, o'r pleserau hynny, nid bod llawer o gyfle i'w gael yn hinsawdd anghynnes Gogledd yr Iwerydd, meddyliodd. Tynnodd ei grys-T dros ei ben a chasglu ei drugareddau ynghyd cyn troi 'nôl am y siopau-gwerthu-pob-dim yn y strydoedd cul y tu ôl i'r promenâd. Ymlwybrodd am hanner awr arall, yn sylwi ar y manion. Mwynhaodd ei annibyniaeth a'r teimlad o fod yn anhysbys ynghanol y dorf gymysg. Roedd llawer o'r pethau oedd ar werth yn gyffredin i bob tref yng Nghymru. Yr un oedd y ffasiynau, yn y bôn, ond bod y gwisgo fan hyn yn fwy chwaethus a'r gofal yn fwy amlwg. Yr un oedd testun y cylchgronau: sgandal wleidyddol, carwriaethau canwyr Ewro-bop a lluniau o'r Dywysoges Diana, er bod honno wedi hen, hen ddarfod o'r tir. Y gwahaniaeth oedd yr iaith. Ym mhobman roedd y Gatalaneg i'w gweld a'i chlywed. Gwridodd Meilyr wrth i'r sylw fflachio trwy ei feddwl. Tan nawr roedd e wedi llwyddo i gadw obsesiwn y Cymry Cymraeg dosbarth canol led cyfandir i ffwrdd, ond yr eiliad honno, ac yntau'n dyst i'r bwrlwm hyderus o'i gwmpas, ni allai beidio â gwneud y gymhariaeth boenus â'i wlad ei hun. Gwelodd ei adlewyrchiad yn ffenest un o'r siopau a darllenodd y geiriau go chwith ar ei grys-T, yn disgrifio'i gyd-wladwyr fel 'Catalaniaid yn y glaw'. Chwarddodd yn goeglyd am ben yr hunan-dwyll ac aeth am ddiod yn un o'r caffis ar y prif sgwâr.

Wrth iddo eistedd o dan ymbrelo yn yfed ei gwrw oer, syllai'n llesmeiriol ar yr heidiau a lenwai Plaça de Catalunya: unigolion, fel yntau, yn eistedd mewn caffis

19

awyr agored yn gwylio bywyd dros ymyl gwydryn, cariadon ifainc yn ymgolli yn ei gilydd, siopwyr yn bwrw ymlaen â'u gorchwylion bob dydd. Fyddai hyn ddim yn bosib yng Nghymru, meddyliodd Meilyr. Yn un peth doedd y tywydd ddim yn caniatáu. Cenedl y drysau caeedig oedd ei genedl e, a doedd dim diwedd i'r pethau a allai ddigwydd y tu ôl i'r rheini!

Archebodd gwrw arall. Trwy siarad â'r gweinydd a chlywed ei lais ei hun bron am y tro cyntaf y diwrnod hwnnw, llwyddodd i dorri'r gadwyn o emosiynau gwag. Wrthi'n ceisio dygymod â'i gyflwr newydd oedd e pan welodd Gwilym Huws yn croesi'r sgwâr. Y siwt wen a dynnodd ei sylw'n gyntaf. Honno a'r presenoldeb digamsyniol. Yn ei law roedd bag lledr, ffurfiol yr olwg, ac roedd e ar frys, ond hanner stopiai bob hyn a hyn i godi llaw ar y bobl niferus oedd yn ei gyfarch. Wrth iddo ddiflannu trwy ddrws mawr Casa Gran cofiodd Meilyr â chryn syndod fod *Señor Gales*, o leiaf, wedi llwyddo i ddianc.

Pan agorodd y drws i'w stafell yn nes ymlaen y prynhawn hwnnw, gwelodd nodyn ar y llawr yn ei wahodd i swper ar ei noson olaf. Gwahoddiad oddi wrth Gwilym a María oedd e, a nododd Meilyr fod enwau'r ddau arno. Tynnodd ei sandalau ac aeth i orwedd ar y gwely llydan. O dipyn i beth, yn rhannol oherwydd y cwrw ac yn rhannol oherwydd y gwres, cwympodd i gysgu.

Pan ddihunodd beth amser yn ddiweddarach, penderfynodd fynd i chwilio am Gwilym a María i roi gwybod y byddai wrth ei fodd yn derbyn eu gwahoddiad. Cnociodd ar y drws a arweiniai at yr ardd ac aeth drwodd.

Gorweddai'r ddau un bob pen i'r soffa wiail, eu coesau wedi'u plethu yn ei gilydd. Roedd yn bictiwr o gysur. Pan ymddangosodd Meilyr, amneidiodd Gwilym arno i ddod yn nes.

'Bachan, dere miwn! Ti 'di bod mas drw'r dydd? Wedodd María bod hi wedi dy weld ti'n gadel bore 'ma.' Wrth glywed ei henw craffodd hithau ar wyneb y dyn ifanc fel petai'n chwilio am ryw ymateb arwyddocaol. 'Mae 'di bod fel ffair 'ma heddi. Pobol yn mynd a dod drw'r dydd, yn ôl María. Cofia, fel'na mae 'di bod erio'd. Tŷ doctor o'dd hwn ti'n gweld. Ma' pobol wedi arfer dod 'ma am gysur, ac ma' nhw'n dal i ddod ugen mlynedd ar ôl i'r meddyg fynd o'ma.'

Ni allai Meilyr benderfynu pam yn union roedd Gwilym Huws yn dweud hyn wrtho, ond roedd yn amlwg bod pob brawddeg yn orlwythog ac i bwrpas.

'Ynglŷn â'r gwahoddiad. 'Swn i'n dwlu derbyn. Diolch yn fowr iawn i chi'ch dou. Faint o'r gloch?'

'Campus! Beth am weud naw o'r gloch? Sdim byd yn dechre gafel 'ma cyn hynny.'

Diolchodd Meilyr i'r ddau unwaith yn rhagor cyn troi am y grisiau a'i stafell ar y trydydd llawr. Y noson honno aeth am dro ar hyd y promenâd i ben pellaf y bae. Roedd e am chwythu geiriau *Señor Gales* o'i ben, ond tyner oedd yr awel a phan ddychwelodd i fynd i'w wely ddwyawr yn ddiweddarach, roedd e'n dal i bendroni drostyn nhw.

Roedd e'n hwyr yn codi y bore wedyn. Roedd hi bron yn brynhawn arno. Y tu allan yn y sgwâr roedd y sŵn yn fyddarol fel arfer gan beri i Meilyr synnu ei fod e wedi llwyddo i aros yn ei wely cyhyd. Aeth am gawod, ac wrth i'r dŵr ffrydio trwy ei wallt ac ar hyd ei gorff gwyn, penderfynodd yn y fan a'r lle yr âi ar y bws i Tossa de Mar am y prynhawn.

Roedd y daith ar hyd y ffordd droellog dros y bryniau i Tossa yn ei atgoffa o'r daith rhwng Aberaeron ac Aberystwyth. Roedd yr olygfa yr un mor ddramatig ond bod mwy o haul fan hyn a llai o law. Cofiodd am y slogan ar ei grys-T a gwenodd. Efallai bod rhywfaint o wirionedd ynddo wedi'r cyfan! Ar y ffordd yn ôl penderfynodd fod yn well ganddo'r olygfa Gymreig. Roedd hi'n fwy cyntefig ac roedd mwy o barhad, ond poenai na fyddai'n aros felly. Poenai weithiau am y dylanwadau newydd.

*   *   *

'*Gracias*, María. Roedd hwnna'n fendigedig.'

Gwenodd hithau gan godi ei gwydryn i'w gwefusau. Llyncodd y gwin coch yn araf heb dynnu ei llygaid oddi ar Meilyr. Edrychodd yntau yn ôl gan fynnu dal ei golwg. Er mor anghyfiaith oedd y ddau, gallai synhwyro'r gymeradwyaeth yn ei llygaid. Nid ar chwarae bach y cawsai ei wahodd i'w cylch mewnol. Gwyddai hynny cyn derbyn, a'r eiliad honno pwysodd yn ôl yn ei gadair gan ymfodloni â'i statws newydd. Yn yr hanner goleuni, hawdd fyddai ei chamgymryd am fenyw bymtheg ar hugain oed, barnodd Meilyr, er ei bod mewn gwirionedd gryn ddeng mlynedd yn hŷn na hynny. Roedd ei gwallt du heb golli dim o'i sglein merchetaidd ac roedd oes o fyw'n agos i'r ffin heb wneud dim i newid ei hosgo hamddenol. Pan ddychwelodd Gwilym Huws ymhen ychydig â photelaid arall o win, dilynodd Meilyr ei llygaid wrth iddyn nhw grwydro'n ffyddlon i gyfeiriad ei chymar

22

hynaws. Roedd y bywyd hwn wedi bod yn dda iddo yntau, hefyd, penderfynodd.

Eisteddai'r tri o amgylch y ford gan fwynhau'r naws hafaidd. Roedd y gwres oedd wedi pobi muriau'r ardd drwy'r dydd mor bresennol ag erioed, a dwndwr parhaus y sicadïau yn llenwi awyr y nos.

'Beth na'th iti adel?' gofynnodd Meilyr ymhen ychydig. Roedd yn gwestiwn y buasai'n fwriad ganddo ei ofyn ers iddo gyrraedd, ac eiliadau wedi i'r geiriau groesi ei wefusau, roedd e'n difaru gofyn. Astudiodd wyneb Gwilym Huws tra oedd yn disgwyl ei ateb, ond edrych heibio iddo a wnaeth hwnnw fel rhywun a gawsai ei orfodi i ymweld â rhywle o'i anfodd. Rhywle pell i ffwrdd.

'Fe ddes i 'ma achos bod dim dewis 'da fi. O'n i'n ffilu byw gatre. O'dd gormod o siomedigaethe. O'dd mab y mans am gofleidio bywyd ar ei delere fe'i hunan, ac o'dd hi ddim yn bosib gneud hynny yng Nghymru gwarter canrif yn ôl.'

'Ac mae'n bosib gneud hynny nawr?'

'Sa i'n gwbod. Sa i 'di bod 'nôl. Sa i'n gallu mynd 'nôl. Sa i'n gwbod beth sy'n bosib yng Nghymru bellach.'

'Sa i'n credu bod y Cymry sy'n dal ar ôl yn gwbod beth sy'n bosib. Neu smo'r rhan fwya eise gwbod!'

Gwenodd y ddau ddyn ar ei gilydd, ond doedd dim pleser yn eu gwên.

'Ac fe lwyddest ti i ddianc?'

'Dianc? Paid â siarad dwli. Dyw'r Cymry byth yn dianc. Ma' gormod o orffennol 'da ni. Gormod yn ein tynnu ni 'nôl. Fel Pabyddion. Ma' Pabydd yn gallu colli'i ffydd ond Pabydd fydd e tan Ddydd y Farn. A Chymro yw Cymro tan ddyfodiad y clêr!'

Llyncodd Meilyr gegaid arall o win gan edrych ar Gwilym Huws dros ymyl ei wydryn yn union fel y gwnaethai yn Plaça de Catalunya y diwrnod cynt. Daeth y llun o'r dyn hyderus yn ei siwt wen yn brasgamu ar draws y sgwâr yn ôl i'w feddwl, a bu'n rhaid iddo gyfaddef wrtho'i hun nad oedd diwedd ar allu'r Cymro alltud hwn i chwalu rhagdybiaethau.

'O'n i am fyw, ac o'dd Cymru'r saithdegau'n rhy ormesol. Do, fe na'th y protestiade wanieth, ond whare gyda ni o'dd y gwleidyddion. Ildio pethe bach ar ôl ymdrech fawr. Dyna ma' nhw'n dal i neud, ond 'u bod nhw'n fwy cynnil yn y mileniwm newydd. Felly, penderfynes godi 'mhac a symud i rwle lle o'dd pobol yn byw bob dydd heb orfod meddwl gormod am y weithred o fyw. Rhwle heb y wleidyddiaeth.'

'Ac fe ddest ti i fan hyn?'

'Naddo. Es i ar grwydr. Amsterdam, Moroco, Ynysoedd Groeg. A ble bynnag elen i, yn hwyr neu'n hwyrach, bydden i'n dechre ymddwyn fel rhyw lysgennad answyddogol. *'Beth? Dych chi ddim wedi clywed sôn amdanon ni? Dych chi ddim wedi clywed am ein hiaith? Twt lol! Un o'r hyna yn Ewrop. Ac mae'n fyw iawn. Fe glywch chi 'ddi ym mhobman! Mae ar y seins i gyd ac mewn ambell siop o eiddo'r Cymry Cymraeg! Maen nhw mor frwd drosti. Dewch i weld pa mor normal, pa mor hyderus, pa mor Ewropeaidd ydyn ni. Dewch i weld y wlad sy'n hanner gwlad.'* Mae'n haws byw'r celwydd am Gymru os yw dyn yn byw bant. Yr unig beryg yw pan mae e'n dechre credu'r celwydd.'

Ar hynny, cynnodd Gwilym Huws sigarét a thynnu'r mwg yn ddwfn i'w geg. O'u blaenau roedd gweddillion eu pryd, y llestri brwnt, tair potel win wag a soser lwch hanner llawn. Syllodd Meilyr ar y mwg yn codi i awyr y nos a oedd wedi'i staenio'n oren gan oleuadau'r sgwâr gerllaw. Wrth iddo fynd dros eiriau'r sgwrs yn ei feddwl, peidiodd sŵn y sicadïau a'r traffig y tu hwnt i furiau'r ardd, a phylodd presenoldeb ei gyd-fwytawyr.

María dorrodd ar draws ei fyfyrdodau rai munudau'n ddiweddarach trwy godi i glirio'r ford. Cododd yntau ar ei draed yn reddfol i estyn ei blât iddi ac i gydio yn y poteli gwag. Cymerodd bopeth oddi arno'n ddiolchgar a'i annog i eistedd yn ôl yn ei gadair. Dilynodd ei symudiadau wrth iddi bentyrru'r llestri ar ben ei gilydd yn barod i fynd â nhw drwodd i'r gegin. Yna, edrychodd trwy gil ei lygad ar ei gyd-Gymro, a phenderfynodd taw gwell fyddai peidio â holi rhagor.

'Wi'n 'i charu'n ofnadw, ti'n gwbod,' meddai hwnnw wedi i María adael yr ardd. 'O'n i'n gwbod o'r eiliad weles i ddi gynta, dair blynedd ar ddeg yn ôl, bo fi'n 'i charu ddi.'

'Rhamantydd!'

'Rhamantydd pur, Meilyr bach. Sa i'n anghydweld. Dyna'r llwybr ddewises i, er gwell neu er gwa'th. Dou ffoadur sy bellach yn heneiddio gyda'i gilydd. Ar ôl blynydde o symud, a llwyddo i gadw un cam ar y bla'n i'r heddlu, wi'n gobeitho bo ni yma i aros, erbyn hyn. Wi'n moyn prynu'r tŷ 'ma, ond dyw hi ddim yn rhwydd. Bues i yn y banc y diwrnod o'r bla'n, ond ma' wastad probleme. Ma'r arian 'da fi, ond ma'r caniatâd yn hir yn dod.'

'Nage chi bia'r lle 'ma? O'n i'n . . .'

'Na, teulu'r hen feddyg bia' fe, ac ma' nhw'n ffilu cytuno i' ryddhau e i rywun y tu fas i'r teulu. Dyna'r gwanieth rhynt fan hyn a gatre. Ma'r rhain yn dal 'u gafel. Llawer ohonyn nhw, ta beth. Ond sa i'n moyn crwydro, ragor.'

'Ei di ddim 'nôl?'

'Na, fan hyn ma'n lle i bellach. Fi a María. Fan hyn wi'n llenwi angen, i'r bobol leol o leia! Alla i ddim dychwelyd nawr. Wi'n ildio i anghenion y bobol, Meilyr bach!' Chwarddodd yn uchel am ben ei osodiad mawreddog. 'Dere. Ma' María am ddawnsio'r *sardana*.'

Ar hynny cododd ar ei draed a galw ar ei gymar.

'Alli di ddim mynd 'nôl heb ddawnsio'r *sardana* gyda ni ar dy noson ola. Mae'n rhan hanfodol o'r profiad Catalwnaidd!'

Cerddod y tri fraich ym mraich ar hyd y promenâd tuag at y dorf oedd wedi ymgasglu yn y pen draw. Ar lwyfan yn uwch na'r lleill roedd cerddorion yn eu diddanu ag alawon traddodiadol, a phawb naill ai'n dawnsio mewn cylch anferth neu'n gwylio o'r cyrion. Roedd yr hynaf a'r ieuengaf fel ei gilydd yn gwybod y camau cymhleth. Edrychodd Meilyr ar yr olygfa o'i flaen ac yna crwydrodd ei lygaid draw tua'r môr a oedd bellach yn ddi-nod yr olwg heb y nofwyr. I'r cyfeiriad arall roedd y rhes o lefydd bwyta mor brysur ag erioed. Pobl leol a phobl o bant yn gymysg â'i gilydd wrth y bordydd llawn, a'r gweinyddion yn gwibio yn ôl ac ymlaen yn ddi-baid gan gadw olwynion y peiriannau cyfalafol i droi er lles Catalwnia. Dyma oedd pwerdy Sbaen wedi'r cyfan. Dyma oedd treftadaeth yn null y Costa Brava, a doedd dim byd *kitsch* o gwbl yn ei chylch, penderfynodd Meilyr. Pan drodd i wylio'r dawnswyr unwaith eto, gwelodd fod María a Gwilym wedi ymuno â'r cylch. Siaradent yn hwyliog â'r bobl yn eu hymyl gan lwyddo i gadw'r camau a rhythm y gerddoriaeth yr un pryd. Gallai deimlo gwên lydan yn ymffurfio ar ei wyneb wrth wylio'r Cymro'n mwynhau. Safodd ar gyrion y cylch am awr a mwy, a'r emosiynau yn ei ben yn atseinio fel cerddorfa aflafar. Yn y man gadawodd y dorf, oedd yn dal yn niferus, a dechreuodd grwydro 'nôl am Casa Gran ar ei ben ei hun.

*   *   *

Gadawodd Meilyr yn brydlon y bore wedyn er mwyn teithio i'r maes awyr. Ni chwrddodd â *Señor Gales* eto, ond wrth i'r awyren ruo ar hyd y lanfa ac esgyn i'r awyr, gallai ei weld o hyd yn dawnsio'r *sardana,* a'r bobl leol yn cydio yn ei law.

Yr Ymwelydd

'Trwsta dy fam i ga'l 'i rhoi yn yr un bella o bobman!'

Trodd Elgan Thomas ei gefn ar ddrysau'r lifftiau llydan, lliw arian er mwyn rhoi ei holl sylw i'w dad. Roedd wyneb y cyn-weithiwr dur yn gymysgedd o ddiffyg amynedd a phanig. Greddf naturiol Elgan fyddai ateb yn ôl a chymryd ochr ei fam, o dan y fath amgylchiadau, ond penderfynodd frathu ei dafod a gadael iddo roi mynegiant i'w argyfwng. Dyna fyddai tacteg Elin pan fyddai'r plant yn ymddwyn yn afresymol. Osgoi gwrthdaro trwy newid y pwnc yn ddeheuig. Symud ymlaen. Argyfwng drosodd. Fyddai hi ddim mor hawdd gyda'i dad, meddyliodd. Roedd degawd arall, o leiaf, cyn y byddai e'n barod i ffeirio min ei hunan-barch am ddibyniaeth ar eraill. Eto, yr eiliad honno, roedd golwg hŷn na'i saith deg a dwy o flynyddoedd arno.

'Ma'r blydi llefydd hyn yn rhy fowr, 'achan. Shwd ma nhw'n erfyn i ddynon ffindo'u ffordd i'r ward iawn?'

'Ni 'ma nawr, Dad. Bydd y lifft yn dod â ni mas reit ar bwys y ward.'

'Ond bydd hi'n becso bod ni wedi ca'l anhap. Ti'n gwbod shwd un yw hi. O'n ni fod 'ma hanner awr yn ôl.'

Camodd y ddau allan o'r lifft a cherdded ar hyd y coridor pinc tywyll i gyfeiriad y ward. Bob hyn a hyn byddai gwynt sur y stafelloedd ymolchi yn ymgymysgu â sawr cyfarwydd yr eli roedd yn rhaid i gleifion fel ei fam ei rwto ar hyd eu corff, ac ymhobman roedd ôl rhyw bryd bwyd torfol yn hofran yn ystyfnig yn yr awyr. Pan gyrhaeddodd y ddau ddyn y ward, arhosodd Morlais Thomas am ganiatâd i fynd i mewn at ei wraig. Roedd gan yr unig nyrs a oedd ar ddyletswydd bethau pwysicach ar ei meddwl, ond oedi wnaeth yr hen ddyn, serch hynny. Roedd parch digwestiwn at awdurdod o unrhyw fath wastad wedi bod yn beth mawr yng ngolwg ei rieni, nododd Elgan. Dyna oedd yn diffinio'u math nhw.

Roedd Eirwen Thomas ynghanol sgwrs fywiog gyda rhywun ddau wely i ffwrdd, ac ni sylwodd fod ei mab a'i gŵr wedi cyrraedd. Pan welodd fod ganddi ymwelwyr, cododd o erchwyn gwely ei chyd-glaf ac amneidiodd arnyn nhw i fynd draw i gwrdd â'r fenyw arall.

'Nawrte, ti'n gwbod pwy yw hon?' Gwenodd y fenyw arall i gydnabod ei chyflwyniad i Elgan. 'Ti'n cofio Anti Dil o'dd yn arfer byw drws nesa i Mam-gu Waun? Wel dyma'i merch hi, Doreen. O'dd hi'n arfer dishgwl ar dy ôl di pan o't ti'n fabi. Ti ddim yn cofio Doreen, nag wyt ti? Shgwl a fe nawr, Doreen. Ma tri o blant 'da fe. Bethan yw'r hena. Mae newydd ddechre yn yr ysgol fowr. Wedi 'ny Steffan. 'Na grwt yw hwnna! A Llŷr yw'r babi, y cyw melyn ola. Ma fe'n wyth mis.' Trodd yn falch at ei mab. 'Dy oedran di pan o'dd Doreen yn arfer gofalu amdanot ti.'

Roedd hi'n amlwg i Elgan fod ei fam yn mwynhau pob eiliad o'i chystudd. Gwenodd wrth ddychmygu'r oriau o gymharu achau cyn iddo fe a'i dad ymyrryd. Clywsai sgyrsiau tebyg lawer tro yn y gymdeithas fatriarchaidd a nodweddai ei ddyddiau cynnar cyn iddo gael ei esgymuno yn ystod ei arddegau a'i annog i ddilyn ei fath ei hun, pwy bynnag oedd y rheini. Byddai sgwrs fel hon yn dân ar groen ei dad. Trwy gydol adloniant byrfyfyr ei fam roedd hwnnw wedi mynd i eistedd ar gadair wrth ei gwely gwag.

'Shwd ych chi, Mam? Mae'n dda bod cwmni 'da chi,' meddai Elgan gan gyfeirio'i eiriau at y wraig arall a orweddai yn ei chot nos ar ben cynfasau'r gwely. Fel yn achos ei fam, roedd rhwymynnau oeliog yn cuddio dicter y cochni a oedd yn rhemp ar hyd ei breichiau a'i choesau. Roedd ei dwylo ac ambell smotyn ar ei hwyneb yn ddigon iddo ddychmygu gweddill ei chyflwr.

''Yn ni'n dod 'mla'n yn net, on'd 'yn ni, Doreen? Trueni bod yr hen beth 'ma ar y ddwy o ni, ond 'na fe, mae wedi dod â ni at 'yn gilydd ar ôl blynydde mowr. Gewn ni sgwrs 'to pan fydd y ddou 'ma wedi mynd.' Ar hynny, trodd oddi wrth Doreen ac arweiniodd ei mab heibio i'r hen wraig a oedd ynghwsg yn y gwely nesaf nes cyrraedd ei gŵr. 'Shwd wyt ti'n ymdopi hebdda i? Ti'n byta digon?'

Edrychodd Morlais Thomas ar ei wraig heb ateb, cyn troi at ei fab.

'Glywest ti 'na? Glywest ti shwd nonsens yn dy fyw? Odw i'n dishgwl fel 'sen i'n starfo? Fi sy'n dod i' gweld hi a 'na beth ma hi'n ofyn i fi. Pwy yw'r un sy'n dost?'

'Nace tostrwydd yw hwn. *Psoriasis* yw e. Gwed wrth y dwlbyn, Elgan. Nace tostrwydd yw hwn.'

Roedd yr act wedi'i hogi a'i mowldio ar hyd y blynyddoedd ac roedd Elgan yn llawn edmygedd. Y cyfathrebu heb gyfathrebu. Deugain mlynedd o gyd-fyw ac o droedio'u llwybrau cyffredin ar wahân. Roedd y ddealltwriaeth rhwng ei rieni yn gwbl, gwbl ddiysgog, ond roedd yn annigonol, hefyd, meddyliodd. Fflachiodd llun o Elin trwy ei feddwl. Roedd e'n methu â'i gweld hi heb y plant, rywsut, ond fe âi'r rheini ryw ddydd, ac fe âi'r nonsens beunyddiol gyda nhw gan greu'r amodau i act arall dyfu, fel rhyw ddolur llidiog.

'Faint o withe chi'n gorfod newid y *bandages*?'

'Paid â sôn. Wi miwn a mas o'r bath drw'r dydd a wedi 'ny ma nhw'n rwto'r hen oel drosta i i gyd. Mae e yn 'y ngwallt a phopeth, shgwl. Shwd ma'r plant? Ac Elin?'

'Ma nhw'n iawn. Ma nhw'n cofio atoch chi. O, cyn i fi anghofio, nethon nhw hwn i chi.' Tynnodd Elgan amlen fawr o'i boced a'i hestyn i'w fam.

'Whare teg iddyn nhw! "I Mam-gu. Brysiwch wella". A co'r ffordd ma Steffan wedi sgrifennu 'i enw fe. Shgwl, Morlais.'

Gwenodd ei dad am y tro cyntaf yn ystod yr ymweliad. Roedd yr wyrion wedi cyflawni eu tasg. Roedd pawb wedi chwarae eu rôl i'r dim, fel y dylai pethau fod. Roedd Elgan wastad wedi'i gweld hi'n haws chwarae rôl gyda'i fam, rywsut. Hi oedd yno pan oedd e'n blentyn i'w helpu gyda'i waith cartref, ac i rybuddio ei frawd ac yntau i chwarae'n dawel am fod eu tad ar shifft nos ac yn trio cysgu lan llofft. Hi oedd yno pan ddeuai adref adeg gwyliau'r coleg i holi ei berfedd am bob un o'i ffrindiau newydd, am ei gariadon, am ei bartïon, am ei dripiau tramor. A byddai yntau bob amser yn barod i fod yr hyn y disgwylid iddo fod, ac i sôn yn frwdfrydig am y pethau roedd hi eisiau eu clywed, gan ofalu chwynnu'r manylion rhag ei drysu. Dyna a wnâi gyda'i dad hefyd, meddyliodd, ond bod y broses yn fwy cyntefig, yn llai soffistigedig, am na fu'r amodau'n iawn ac am fod amser a lle wedi ymyrryd. Cenfigennai weithiau wrth ei frawd. Roedd Rhodri wedi aros o fewn y llwyth a dilyn ei dad i'r gwaith dur lle roedd ffiniau cyfarwydd a chefnogaeth dadol. A thyfodd Rhodri'n ddyn di-lol, prin o eiriau fel ei dad, gan taw dyna a ddisgwylid ganddo. A chafodd neb ei siomi. Edrychodd Elgan ar ei rieni a chafodd ei atgoffa bod disgwyliadau gwahanol arno fe.

'Fe drïwn ni ddod yn gynharach nos yfory, Mam. Dria i gwpla awr yn gynnar i osgoi'r traffic trwm ar yr M4.'

'Na, ti'n ffilu neud 'na. Fyddan nhw ddim yn folon. Paid ti â becso nawr. Sdim ishe dod bob nos ta beth. Wi'n iawn fan hyn, a ma Doreen 'da fi'n gwmni. Daw Rhodri â dy dad nos yfory a gei di ddod 'to wthnos nesa. Mae'n bell i ti ddod yr holl ffordd o Gardydd, on'd yw hi Morlais?'

'Ma Rhodri ar y shifft dou i ddeg fory, ond alla i ddod ar y bỳs.'

'Na, na, daf i â Dad fory a gaiff Rhodri ddod nos Iau. 'Na'i diwedd hi.'

'Ma plant da 'da ni. Nos da 'te, cariad, a cofia fi at y teulu. Gwed bod Mam-gu'n gweud diolch yn fowr am y garden. Cymer ofal ar y ffordd 'nôl.'

'Nos da, Mam.' Cusanodd Elgan ei fam yn dyner cyn troi a chodi ei law ar Doreen.

'Nos da, Morlais. Cofia fod ishe cwpla'r ffowlyn. Bydd e'n oreit sbo fory. A ma digon o datws 'na. Ne cer i brynu *chop* os o's well 'da ti hwnna.'

'Dere, Elgan! Welwn ni ti fory.'

Cerddodd y ddau ddyn heibio i'r un nyrs brysur wrth fynedfa'r ward ac yn ôl ar hyd y coridor pinc heb siarad. Sylwodd Elgan nad oedd ei rieni wedi cusanu wrth ffarwelio â'i gilydd ac ni allai ddychmygu Elin ac yntau'n ymddwyn yn yr un ffordd. Efallai taw eu hoed oedd e, a bod parau'n rhoi llai o bwys ar bethau arddangosol, amlwg, wrth iddyn nhw fynd yn hŷn. Roedd y cwlwm rhyngddyn nhw'n gryfach nag unrhyw arwydd allanol – rhywbeth er mwyn eraill oedd hwnnw, yn ei hanfod, yn fwy nag iddyn nhw. Ni allai gofio'i fam a'i dad erioed yn dangos llawer o emosiwn amlwg. Rhywbeth i'w wneud y tu ôl i ddrysau caeedig oedd hynny, efallai. I bwrpas. Rhaid taw dyma'r tro cyntaf iddyn nhw gysgu ar wahân, meddyliodd. Roedd Elin ac yntau wedi gwneud hynny sawl gwaith oherwydd ei swydd a phan âi i ffwrdd am benwythnos gyda ffrindiau. A bydden nhw'n cusanu'n gyhoeddus.

'Mae 'di setlo'n iawn. Ma'n dda bod Doreen ar yr un ward.'

'Iesu, fydd dim stop ar y ddwy 'na. Unweth ma dy fam a honna'n dechre. Ma'r hen fenyw yn y gwely drws nesa'n lwcus bod hi'n drwm 'i chlyw! Shwd ma'r car yn mynd?'

'Fel y boi.'

Taniodd Elgan yr injan a dechrau gyrru tuag at allanfa'r maes parcio anferth.

'Ma un bach da gyda ti tro hyn,' meddai ei dad gan fyseddu'r plastig du o'i flaen fel petai'n edmygu cerflun cain yn yr Amgueddfa Genedlaethol. 'Ers faint mae e gyda ti?'

'Tynnu am bum mis nawr siwr o fod. Am faint fyddan nhw'n cadw Mam miwn?'

'Pythewnos.'

'Shwd ma Rod?'

'Yn gwitho bob awr ma Duw'n 'i rhoi er mwyn cadw honna, miledi. Ma dy frawd wastod wedi bod yn blydi sofft. Pâr o dits, a neiff e rwbeth.'

Teimlai Elgan y gwres yn codi yn ei wyneb a diolchodd na allai ei dad weld ei letchwithdod yn nhywyllwch y car. Doedd e erioed wedi'i glywed yn

33

siarad fel hyn. Erbyn meddwl, doedd e erioed wedi bod yn gyfan gwbl ar ei ben ei hun gyda fe am fwy nag ychydig funudau ers gadael cartref yn ddeunaw oed i fynd i'r brifysgol. Ac o ganlyniad, ffosileiddiwyd hynny o berthynas oedd ganddyn nhw yng ngherrig milltir prin y gorffennol: yn y gêmau o griced ar y traeth tra oeddynt ar wyliau yn Ninbych-y-Pysgod, yn y dadlau gwleidyddol, tanllyd yn ystod ei arddegau ac yntau'n ennill yn hawdd am fod ei allu i ddadlau gymaint yn gryfach na gallu ei dad. A doedd dim sôn am dits yn y dyddiau cynnar hynny.

'Sdim isie i ti fynd yr holl ffordd lawr i'r tŷ nawr, cofia. Stopa bwys y clwb. Ma angen cwpwl o beints arna i ar ôl heno.'

Arafodd Elgan y car o flaen yr adeilad gwyn, di-lun nad oedd yn haeddu'r statws aruchel a gawsai ar aelwyd ei fam a'i dad ar hyd y blynyddoedd. Doedd e ddim yn ei haeddu o ran ei ymddangosiad allanol, beth bynnag. Cyrchfan cyffredin yr olwg nad oedd hyd yn oed yn dal ei dir yn yr un rhes â phensaernïaeth gyffredin gweddill y stryd. Y clwb oedd ffynhonnell doethinebu tafotrydd ei dad ar ôl noson dda gyda'r bois. Y clwb oedd man cychwyn rhai o glecs cyfoethocaf y pentref a daniodd ei ddychymyg bachgennaidd drwy gydol ei arddegau. Y clwb oedd allanfa dyheadau dynion y fro. Doedd e erioed wedi bod trwy'r drws er gwaethaf y broliant mawr. Lle i ddynion fel ei dad a Rhodri oedd y clwb.

''Na fe 'te. Dria i ddod hanner awr yn gynt nos fory. Geson ni ddim lot o amser heno.'

Roedd Elgan wedi blino ac yn awyddus i fynd 'nôl ar hyd yr M4 i'w rôl gyfarwydd. 'Nôl at Elin a'r plant. Cawsai ddigon ar fod yn blentyn am un noson.

'Ti'n dod miwn am un bach cyn mynd 'nôl?'

Teimlodd Elgan ei stumog yn tynhau. Roedd hi'n eiliad fawr iawn, a doedd e ddim yn barod amdani. Roedd e wedi disgwyl mor hir am y gwahoddiad hwn gan ddychmygu'r achlysur lawer gwaith a chan ymarfer yr ymateb yn ei feddwl. Ac am na ddaethai, roedd e wedi'i hen gladdu a bwrw ymlaen â'i drefniant ei hun. Y peth hawsaf yn y byd fyddai gwrthod, ac esgus nad oedd ei dad wedi gofyn dim byd mawr. Hastu 'nôl i Gaerdydd gan ymgolli yng nghysur y car a radio'r nos a mwynhau nodi'r milltiroedd yn mynd yn llai ac yn llai. Ond hwn oedd y gwahoddiad y bu'n ei chwennych gyhyd, a gwyddai ei fod yn fwy na gwahoddiad i'r clwb. Diffoddodd yr injan a thynnodd yr allwedd allan.

'Pam lai?'

Dilynodd Elgan ei dad tuag at ddrws y ffrynt a sylwodd ar y gwahaniaeth yn osgo'r hen ddyn. Doedd dim arlliw o'r argyfwng a fu'n ei lethu awr ynghynt. Cyfarchodd y dyn canol oed yn y cyntedd ac aeth i mewn i'r bar rhy olau a rhy fawr. Wrth groesi'r llawr agored adnabu Elgan ambell wyneb o'i ddyddiau ysgol, ond ni stopiodd. Cyrhaeddodd ei dad grŵp o ddynion tua'r un oed ag e a eisteddai mewn cornel ar wahân i'r gweddill. Aeth ar ei union at sedd oedd yn amlwg wedi'i neilltuo iddo yntau a neb arall, ond arhosodd Elgan ar ei draed fel plentyn yn disgwyl caniatâd i ymuno â'r oedolion.

'Dere i ishte fan hyn.' Yna trodd ei dad i wynebu'r lleill. 'Chi'n cofio Elgan ni? Chi'n weld e'n debyg i Rod?'

'Ti'n dishgwl ar ôl dy hunan yn well na hwnna,' oedd sylw'r un tewaf.

'Bachan, shwd wyt ti? Le ti'n byw y dyddie hyn?'

Adnabu Elgan yr hen ddyn pen moel o ddyddiau ei blentyndod ond ni allai roi enw ar ei wyneb crwn. Roedd yr enwau, fel eu perchnogion, wedi ymdoddi'n un dros y blynyddoedd wrth i'w dad ddod adref ar ôl cannoedd o nosweithiau mawr ac adrodd straeon gorgyfarwydd y clwb.

'Cardydd. Ma fe 'di bod 'na ers dros ddeg mlynedd nawr, on'd wyt ti?' atebodd ei dad cyn rhoi cyfle i Elgan agor ei geg.

'Cardydd? Le yn Gardydd? Achos manna ma merch Wil y Bara'n byw. Be ti'n galw . . . Rhiannon. Ma jobyn da 'da hi. Newy' ddechre fel doctor.'

'Beth wyt ti'n neud?'

'Y gyfreth.'

'Cyfrithwr. Ti'n oreit 'te, Dai, y tro nesa ti'n ca'l dy ddala'n ffidlo dy blydi tax! Neiff Elgan fan hyn ddishgwl ar dy ôl di!'

Chwarddodd Elgan gyda'r lleill ar ben y jôc wan, a chododd ar ei draed i gynnig diod i bawb, yn rhannol er mwyn newid y pwnc ac yn rhannol am iddo dybio mai dyna a ddisgwylid i gyfreithiwr yng Nghaerdydd ei wneud.

'Beth yffarn ti'n neud yn pyrnu rownd i bobun?' oedd sylw cyntaf ei dad pan gyrhaeddodd y ddau y bar. 'Cadwa dy law yn dy boced. Ma hanner rheina'n byw'n fras ar y compo geson nhw ar ôl cwpla'n gynnar. Sdim prinder manna, cred ti fi.' Roedd cymhennu ei dad yn nodweddiadol o'i reddf naturiol i ofalu am ei deulu o hyd, meddyliodd Elgan, ac roedd hynny'n golygu peidio ag ymddangos yn fawr o flaen y llwyth. 'Byddan nhw'n meddwl bod pobun yn Gardydd yn ennill ffortiwn!'

'Bydden nhw'n rong 'te. Cerwch â'r ddou 'ma, newch chi? Un Bryn yw hwnna ac i Dai ma'r nall.'

'Iechyd da, Elgan bach!'

Roedd gwerthfawrogiad amlwg y lleill yn ddigon i newid agwedd ei dad yn syth, sylwodd Elgan, ac eisteddai hwnnw yn eu canol bellach fel petai wedi ennill yr hawl i fod yn bennaeth dros dro ar y criw bychan.

'Ti 'di dod ar y noson iawn achos ma'r cwis jest â dechre,' cynigiodd Dai.

'Ma gobeth 'da ni heno gyda cyfrithwr yn y tîm!'

'Sneb yn yr un ca' â dy frawd, cofia, am ateb cwestiyne cwis. Ma 'itha pen ar yr hen Rhodri.'

Dechreuodd Elgan lyncu ei ddiod yn gyflym er mwyn ei gorffen a mynd. 'Nôl i Gaerdydd. 'Nôl i'w fyd cyfarwydd â'i ddelwedd yn gyfan cyn gwneud ffŵl ohono'i hun. Doedd ganddo ddim dewis ond diflannu er ei fwyn ei hun. Er mwyn ei dad. Cyn i'r ffars ddechrau. Roedd y cyfreithiwr yn ormod o gachgi i gystadlu â'r gweithiwr dur – gerbron y beirniaid yma, beth bynnag. Nid fel'na y byddai Rhodri'n ei gweld hi, ond doedd Rhodri ddim yno yr eiliad honno i'w amddiffyn. Doedd e ddim yno i ffugio drosto ac i faddau iddo am ei fywyd cul. Treuliasai flynyddoedd yn astudio'r pethau mawr, a nawr doedd ganddo fawr o grap ar y crap roedd angen ei wybod i ateb cwestiynau cwis mewn clwb. Edrychodd ar wynebau'r hen ddynion o'i gwmpas a gwyddai fod y disgwyliadau'n uchel. Sylwodd ar y paratoi ym mhen draw'r stafell wrth i ddyn lled gyfarwydd arall osod pentwr o gardiau ar ford ac yna brofi'r meic cyn diflannu eto y tu ôl i'r bar. Roedd e'n difaru derbyn gwahoddiad ei dad. Oedd e mewn difrif calon yn disgwyl y gallai wthio'i ffordd i mewn i rywle fel hyn heb wneud dim i haeddu ei le? Daethai'r cyfan bymtheng mlynedd yn rhy hwyr.

'Wel, bydd raid i chi neud heb help y cyfrithwr heno achos wi'n gorffod mynd. Ma gwaith 'da fi yn y bore. Sai'n gwbod faint o help fyddwn i wedi bod ta beth. Chi'n well off 'da Rhodri,' meddai Elgan gan ddodi'r gwydryn gwag 'nôl ar y ford cyn codi ar ei draed.

'Hei! Ma'r cyfrithwr yn jibo!'

'Bydd jib ar y wraig 'fyd os na af i nawr!'

'Ti ddim mor wahanol i dy frawd wedi'r cwbwl!'

Chwarddodd pawb, a gwenodd Elgan. Oedd, meddyliodd, roedd yn wahanol iawn i'w frawd.

'Reit, pob lwc 'da'r cwis. Nos da 'te. Neis iawn cwrdd â chi 'to.'

Cododd ei dad i'w hebrwng i'r drws ac allan i'r car. Ni ddywedodd y naill na'r llall yr un gair wrth iddynt groesi carped coch tywyll y bar rhy olau. Dal yno roedd ei gyn-ffrindiau ysgol, ond ni stopiodd Elgan i gydnabod neb ac ni ddaeth neb i'w gydnabod yntau.

Camodd y ddau ddyn allan i awyr glir y stryd a sefyll ar ganol y pafin cul. Edrychodd Elgan ar ei dad ac roedd e eisiau esbonio cymaint, ond ni ddaeth y geiriau. Agorodd ddrws y car a thanio'r injan.

'Cer yn ofalus ar hyd yr hen M4 'na, a ffona i weud bo ti wedi cyrradd yn saff. Fydda i ddim yn hir fan hyn. Af i ar ôl y cwis. Wela i di nos fory.'

Trodd Elgan drwyn y car i wynebu'r ffordd arall a throdd ei dad i fynd 'nôl i mewn i'r clwb.

Arwr Lleol

Bu digwyddiadau'r deuddeg awr flaenorol yn ddigon i Glyndwr Rees gwestiynu llawer ynghylch ei berthynas â'i gyd-bentrefwyr. Doedd e erioed wedi byw'n gyfforddus yn eu plith. Drwy gydol ei ddyddiau ysgol, ei arddegau anodd ac ar hyd blynyddoedd diffrwyth ei ddauddegau a'i dridegau, chafodd e erioed mo'i dderbyn yn gyflawn aelod o'i gymuned. Nid bod ganddo awydd eithriadol bod yn rhan amlwg o'r gymuned honno. I'r gwrthwyneb. Ond roedd ganddo ots, er hynny. Dyna oedd ei brotest breifat; ei wir yn erbyn y byd. Weithiau, yn ystod pwl anghyffredin o hunan-dwyll, dychmygai'r adeg pan gâi ei dderbyn ar ei delerau ei hun, ond tan nawr doedd yr adeg honno ddim wedi dod. Felly, yn rhannol o ddewis ac yn rhannol o raid, daethai Glyndwr i weld taw saffach o dipyn i rywun o'i anian e oedd cadw at yr ymylon; cadw ei ben i lawr a'i godi o dro i dro i wylio'i gymdogion o bell. Roedd digwyddiadau'r noson cynt, fodd bynnag, wedi'i saethu i ganol llwyfan sylw a'i orfodi i ailasesu'r cydbwysedd brau fu rhyngddo a'r lleill gyhyd. Ac roedd gwneud hynny'n brofiad na chawsai unrhyw hyfforddiant ar ei gyfer.

Cyfyng fu ei brofiadau erioed, erbyn meddwl. Cyfyng a digymar. Doedd ganddo ddim gobaith i'r cyfeiriad hwnnw mwyach. Roedd ei ben yn ddigon sownd i'w ysgwyddau i ddileu unrhyw negeseuon fel hynny a ddeuai o'i galon. Byddai wedi hoffi cael partner. Byddai wedi hoffi'r cwmni. Byddai wedi hoffi bod fel pawb arall. Ond doedd hynny ddim i fod. Doedd e ddim wedi rhoi'r gorau i freuddwydio, chwaith. Roedd ganddo anghenion fel pobun arall, ond gwyddai yng ngwaelod ei fod taw tenau iawn, mewn gwirionedd, oedd y posibilrwydd y deuai o hyd i neb arall heblaw ei fam i fod yn gydymaith iddo yn ystod ei daith trwy'r byd hwn. Doedd e erioed wedi cael yr hyfforddiant ac felly doedd e ddim yn gwybod sut.

A'r rheswm pennaf am hynny oedd ei fam. Yn anuniongyrchol, ac yn uniongyrchol, hi oedd yn gyfrifol am ei fywyd od, am yr enwau a'r gwawdio a'r gwacter llawn. Hi a wnaeth ef yn wahanol i'r lleill gan sicrhau bod cymorth yn anodd iawn ei gael mewn cyfyngder. Y gwersi piano. Y dillad drud. Y plentyn perffaith na allai wneud dim o'i le ac na allai wneud dim yn iawn. Doedd dim byd yn ddigon i Gwen Talu Lawr. A Glyndwr oedd ei mab. Ei hunig-anedig a'i hetholedig fab. Doedd dim rhyfedd bod ei dad wedi mynd a'u gadael drannoeth ei ben-blwydd yn chwech oed. Byddai dau wedi trechu ei heithafiaeth, ond doedd dim gobaith i fachgen bach ar ei ben ei hun. Ac felly cafodd ei fam rwydd hynt i fwrw ymlaen â'i harbrawf sinicaidd, a phum mlynedd wedi iddi farw roedd Glyndwr yn dal i gyfri'r gost.

Roedd rhywfaint o fai arno fe am beidio â gwneud mwy, ond roedd mwy o fai arni hi. Byddai unrhyw un gwerth ei halen wedi codi'i bac a mynd ers tro, ond un dof oedd Glyndwr er gwaethaf ei enw. Roedd y blynyddoedd o ildio a llyncu poer wedi claddu ei ddyheadau ei hun, a phan gladdodd ei fam, ildiodd drachefn i'r drefn a oedd wedi'i fagu a'i fogi a'i gadw yn ei le. Fel dyn yn gaeth i gyffur. Yn chwareubeth i'w gymdogion, dewisodd barhau yn y rhan a roddwyd iddo ac aros yn eu plith, yn dyst i'w rhagfarnau ac yn wrthrych eu rheolau. Byddai gwneud fel arall wedi mynnu mwy o ymdrech fyth.

Ond neithiwr newidiodd y rheolau a newidiodd ei ran.

Naw munud ar hugain wedi chwech oedd hi, ac yntau newydd gyrraedd siop Mr a Mrs Patel i brynu ei gopi nosweithiol o'r *Evening Post* a hanner litr o laeth. Dyna fyddai ei batrwm bob nos ar ôl gwaith ers i'w fam farw – dala bws chwarter i chwech o Abertawe 'nôl i'r cwm a chyrraedd y pentref ddeugain munud yn ddiweddarach, a bwrw bod y traffig yn caniatáu. Yna, croesi'r sgwâr ar ras wyllt i osgoi'r llond dwrn o fechgyn swrth a fyddai fel arfer wedi ymgasglu y tu allan i gaffi Fulgoni. Teulu lleol oedd biau'r lle erbyn hyn ar ôl i'r Eidalwyr werthu'r cyfan a symud i rywle brafiach i fyw, wedi gwneud eu ffortiwn ar werthu hufen iâ a choffi i genedlaethau o blant a'u rhieni. Doedd y coffi ddim yn blasu fel coffi, mwyach, ond doedd neb yn cwyno, felly dŵr berwedig ar ben llwyaid o bowdr brown oedd y drefn newydd, a Mr a Mrs Patel a'u cwrteisi digyfaddawd oedd yr unig elfen egsotig i ddod â lliw i'r pentref, bellach.

'Noswath dda, Mr Rees, a shwd 'ych chi heno?' Menyw hardd yn ei thridegau cynnar oedd Mrs Patel. Priododd yn ifanc a daeth gyda'i gŵr i ddechrau bywyd newydd mewn pentref hanner Cymraeg yr ochr arall i'r byd. Y siop oedd ei byd erbyn hyn, y siop a'i theulu bach. Ac os oedd hi'n siomedig â'i thynged doedd hynny ddim i'w weld.

'Noswath dda, Mrs Patel. Wrth 'ych hunan heno?' Cydiodd Glyndwr yn ei bapur a thwrio yn ei boced am y tâl. Edrychai ymlaen at y sgyrsiau nosweithiol hyn. Ac eithrio ambell air di-ddim ag Olwen drws nesaf, hon, bellach, oedd ei unig gyfathrach wedi iddi nosi.

'Otw, mae'n braf cael tam' bach o lonydd.' Gwenodd gan ddangos gwynder ei dannedd. Gwenodd Glyndwr yntau. Hoffai'r fenyw a safai o'i flaen. Hoffai ei pharch at fywyd. 'Ma Mr Patel wedi mynd â'r plant i'r sinema i weld ffilm newydd Disney. Fydd yr un fach ddim yn deall gair, ond chaiff hi ddim gwaith dilyn y llunia sbo.'

'Dicon gwir, ma plant heddi'n deall be sy ar y teledu ac ar fideos cyn bo nhw'n gallu wilia!'

'Mr Rees, wy wedi bo'n meddwl gofyn i chi ers sbel. Licswn i glywed 'ych barn. Bydd Mavji'n ddicon hen i fynd i'r ysgol cyn bo hir a ma Sandeep a fi 'di bo'n trafod y posibilrwydd o'i hala fe i'r ysgol Gwmrâg.' Dyna oedd y tro cyntaf erioed iddi gyfeirio at ei gŵr wrth ei enw cyntaf, a nododd Glyndwr arwyddocâd hynny â balchder gwirioneddol. 'Wnaiff e ymdopi â iaith arall chi'n meddwl? Chi'n weld e'n ffito miwn?'

Roedd Glyndwr ar fin ei hysbysu nad fe oedd y person gorau i farnu ar rywbeth o'r fath, ond ei fod, serch hynny, yn credu ei bod hi a Sandeep yn gwneud penderfyniad doeth, pan agorwyd y drws yn sydyn â grym diangen. Trodd i gyfeiriad yr ymyrraeth a rhythodd ar y llanc gwelw a safai yn erbyn y tywyllwch allanol. Adnabu ei wyneb ac adnabu'r arwyddion yn syth. Roedd oes o ochrgamu wedi meithrin ynddo'r gallu i rag-weld trafferthion ymhell cyn iddynt daro. Aeth y llanc heibio i Glyndwr heb hyd yn oed drafferthu i edrych arno ac arhosodd o flaen y cownter.

'Fodca. Litr.'

'Wy ddim yn ca'l gwerthu alcohol i chi. Ma'n rhaid i chi fod yn ddeunaw.'

Edrychodd y siopwraig yn herfeiddiol ar y llanc hanner ei hoedran cyn taflu cipolwg ar Glyndwr. Dilynodd y bachgen ei llygaid a chwarddodd yn ddirmygus.

'Pam ti'n dishgwl ar y paish 'na? Smo hwnna'n becso'r un ffyc am oedran, yn ôl beth wy'n glywed,' a chrebachodd ei wefusau'n awgrymog wawdlyd cyn chwerthin unwaith eto.

'Cer odd 'ma cyn i fi alw'r heddlu,' oedd unig ymateb Glyndwr.

'Cia di dy lwnc, y ffycin pwfftar. Nawr, wy ddim yn mynd i weud e 'to, cariad. Fodca. Un fawr.' Ar hynny, tynnodd gyllell o'i lawes a phwysodd ar y cownter i gyfeiriad Mrs Patel.

Sylwodd Glyndwr ar natur amaturaidd y weithred a ymylai ar fod yn ffars. Ond roedd yr hyn a'i hwynebai ef yn fwy trasig na ffars a gwyddai yr eiliad honno nad oedd dim yn mynd i'w warchod rhag gorfod rhoi perfformiad mwyaf arwrol ei fywyd.

'Rho honna 'nôl yn dy got a cer odd 'ma.'

Er gwaethaf ymdrechion y llanc i'w guddio, gallai Glyndwr weld y syndod ar ei wyneb. Roedd yn wybodaeth gyffredinol drwy'r pentref, hyd yn oed ymhlith y plant, nad oedd Glyndwr erioed wedi herio neb yn agored. Doedd neb yn disgwyl iddo ateb 'nôl. Gobeithiai o hyd y byddai hynny'n ddigon i ddrysu ei wrthwynebydd a pheri iddo fynd, ond yr eiliad honno trodd y dirmyg yn llygaid y llanc yn bryder digamsyniol a phenderfynodd Glyndwr fod hynny'n ddatblygiad peryglus.

'Wnei di fynd odd 'ma nawr? Ti 'di ca'l dy hwyl, ond gei di ddim byd arall.'

Symudodd Glyndwr gam yn nes at y bachgen a chodi ei fraich er mwyn cymryd y gyllell oddi arno. Ar yr un pryd teimlodd lach y llafn yn rhwygo'r croen ar ei law a chamodd yn ôl yn reddfol. Rhedodd y bachgen trwy ddrws agored y siop a diflannu i gyfeiriad y sgwâr. Teimlodd Glyndwr y gwaed cynnes yn llifo ar hyd ei law. Roedd y ddrama drosodd, ond megis dechrau roedd y sioe.

Cyrhaeddodd yr heddlu wyth munud yn ddiweddarach. Holwyd e, Glyndwr. Holwyd Mrs Patel. Yna, holwyd y ddau gyda'i gilydd. Rhoddwyd disgrifiad gofalus o'r llanc ac awgrymwyd taw rhywun o'r pentref oedd e. Ymhen yr awr daeth ffotograffydd a gohebydd ifanc o'r papur lleol a chyrhaeddodd criw camera, heb ohebydd, i dynnu lluniau cyffredinol ar gyfer y bwletin hwyr. Y tu allan roedd torf fechan wedi ymgasglu. Doedd Glyndwr erioed wedi profi'r fath sylw. Gallai ddychmygu'r penawdau yn y papur drannoeth. Gallai fod wedi ysgrifennu'r sgript. Y cymariaethau diystyr, yr ystrydebau am ei enw. Gallai ddychmygu'r difyrrwch byrhoedlog a roddai'r bennod frawychus i holl ddarllenwyr clecs y fro cyn i rywbeth newydd fynd â'u bryd. Pan ymadawodd pawb, cyrhaeddodd Mr Patel a'r plant a daeth realiti 'nôl. Caewyd y siop ac aeth Glyndwr a'r teulu drwodd i'r cefn. Cafodd driniaeth i'w law a chafodd ddiolch am yr hyn a wnaeth.

'Ma fe 'di dicwdd o'r blaen, Mr Rees, ond dim byd tepyg i'r tro 'ma. Ma nhw'n dod i helpu 'u hunen fel 'sen ni ddim 'na. Ma nhw'n neud fel ma nhw moyn.'

Roedd geiriau Mr Patel wedi cadw Glyndwr ar ddihun drwy'r oriau mân. Hynny a'r profiad yn y siop. Trodd y brawddegau yn ei ben fel yr arferai ei ddicter ei hun ei gnoi pan oedd yn iau. Y tro hwn, pobl eraill biau'r gŵyn. Ymateb i bobl eraill a wnaethai ar hyd ei oes. Cadw'r cyfan iddo'i hun. Gwasgu'r amheuon a dygymod â'r pryderon. Brwydro brwydrau mud yn niogelwch ei wely ar ei ben ei hun gan wybod taw dyna oedd ei ran. Ond roedd e wedi hen roi'r gorau i'r teimladau hynny a dysgu sut i beidio â theimlo dim. Nawr, fodd bynnag, daethai'r cyfan 'nôl fel y cysgodion a arferai garlamu ar draws nenfwd ei ystafell wely pan oedd yn grwt, ac yntau'n rhy ofnus i chwilio am gysur gan ei fam. Fel y plant a arferai ei bryfocio ar ei ffordd adref o'r gwaith pan dyfodd yn ddyn.

> Glyndwr Rees cawl pys,
> Mynd i'r gwely heb ei grys.
> Bob nos ar y cloc,
> Dala wannen ar ei goc.

Neithiwr newidiodd y gân ac aeth y gair ar led bod arwr yn eu plith. Wrth gerdded adref o'r siop cawsai ei gyfarch a'i longyfarch a'i alw'n ddyn gan bobl oedd yn ddynion i gyd. Cawsai ei gyfle i brofi ei werth ac ni siomwyd neb. Roedd pawb yn haeddu o leiaf un cyfle chwyldroadol. Ai hon oedd ei awr fawr? Ei lwybr 'nôl at y llwyth? Ei wahoddiad i yfed gyda'r bois? Un safiad a oedd, o bosib, wedi newid ei fyd? Gwenodd wrth ddychmygu'r fath beth, a chwythodd y ffantasi o'i ben.

A deuddeg awr yn ddiweddarach roedd yn rhaid i Glyndwr wynebu'r byd unwaith eto. Roedd hi'n hawdd chwilio bai. Cododd a mynd i ferwi'r tegell. Fel arfer byddai'n dechrau paratoi i fynd i'w waith, ond roedd e wedi ymlâdd. Eisteddodd yn ei got nos wrth ford y gegin dywyll a phenderfynodd beidio â mynd. Ffoniai i ddweud ei fod yn dost. Âi i weld Mr a Mrs Patel yn y man. Âi i brynu papur yn y bore, am unwaith. Arllwysodd y coffi o'r *cafetière* gan werthfawrogi'r gwynt cyfoethog a lanwai'r ystafell fach. Yfodd yn araf o'i hoff gwpan.

Ni chlywodd glic y blwch llythyron na sŵn yr amlen yn glanio ar y teils. Roedd ei feddwl yn bell a'i obeithion yn ymgiprys â'i ddisgwyliadau. Ni wyddai am fodolaeth y llythyr a orweddai wrth ddrws y ffrynt hyd nes iddo fynd at y grisiau. Cododd yr amlen yn ddifeddwl heb sylwi nad oedd arni stamp. Yr eiliad nesaf trodd y cyntedd yn ddu wrth i'r neges ffrwydro trwy ei gorff.

*   *   *

Darllenodd Glyndwr y llawysgrifen daclus sawl gwaith yn ystod yr awr nesaf. Roedd e wedi amau neithiwr. Eto i gyd roedd sydynrwydd a realiti'r cyfan wedi'i glwyfo i'r byw. Ychydig dros ddeuddeg awr yn ôl roedd e wedi dysgu enwau ei gyfeillion newydd. A nawr roedd Roshni a Sandeep Patel a'u plant yn mynd.

Dododd y llythyr ym mhoced ei got nos a dringo'r staer yn araf gan deimlo'i goesau'n drwm. Aeth i'w ystafell wely, codi'r llyfr ffôn, a deialu'r rhif cyntaf a welodd yng ngholofnau'r cwmnïau gwerthu tai.

Talu'r Pris

Fe ddigwyddodd ar ddiwrnod pen-blwydd fy nhad yn hanner cant. Doedd neb o'r teulu wedi'i rag-weld. Dwi'n amau weithiau a oedd hyd yn oed fy nhad yn gwbl ymwybodol bod y fath deimladau'n ystwyrian y tu mewn iddo. Er, wedi dweud hynny, mae'n rhaid bod ganddo ryw syniad. Wedi'r cwbl, mae'n anodd priodoli rhywbeth mor sylfaenol ac mor chwyldroadol â'r hyn a ddigwyddodd i 'nhad, ac yn sgil hynny i'r gweddill ohonom, i hap a damwain. Mae'n rhaid bod yr awydd i newid wedi'i gynnau rywle ym mherfeddion ei is-ymwybod ers peth amser, ers blynyddoedd efallai, gan fudlosgi'n dawel trwy gydol ei bedwardegau ac aros tan yr eiliad honno i ymwthio i'r wyneb. Ac wrth wneud hynny fe siglodd ein cartref hyd at ei seiliau.

Ta beth, p'un ai trwy gyd-ddigwyddiad llwyr neu oherwydd hwb anfwriadol, diarwybod gan fy nhad, fe ddewisodd ddod i'r amlwg ar yr union ddiwrnod roedd e'n dathlu hanner can mlynedd o fod ar y ddaear hon. Carreg filltir yn wir. Ac mae'n bwysig bod cerrig milltir yn cael eu nodi. Fel arall byddai'r blynyddoedd i gyd yn ymdoddi'n un heb na dechrau na diwedd iddynt. Ni ellir, fodd bynnag, ddweud hynny yn achos pen-blwydd fy nhad yn hanner cant.

Roedd fy mam, fy mrawd a minnau wedi bod yn cynllunio ers wythnos a rhagor i geisio sicrhau y byddai'r achlysur yn un cofiadwy – cofiadwy yn yr ystyr gonfensiynol, hynny yw. Archebwyd teisen ac arni bum cannwyll, un ar gyfer pob degawd o'i oes, oes a oedd wedi bod yn ddigon confensiynol tan hynny. Prynwyd cardiau a nifer o fân anrhegion, ond y *pièce de résistance,* heb os, oedd camera drudfawr, enghraifft odidog o'r dechnoleg ddiweddaraf o Japan, i gofnodi, fel y tybiai fy mam, hanes ein teulu i'r dyfodol – y gwyliau blynyddol, ymddeoliad cynnar a, maes o law, ryfeddodau'r wyrion a ddeuai i weld Mam-gu a Tad-cu bob yn ail benwythnos. Roedd gan fy nhad, fodd bynnag, ddarlun llai cartrefol o'r dyfodol.

Toc ar ôl agor ei gardiau dywedodd ei fod am wneud cyhoeddiad. Mae fy mam wedi cyfaddef wrthyf ers hynny ei bod yn credu'n dawel bach fod ei gŵr ar fin tynnu pâr o docynnau o'i boced a datgelu manylion am ryw drip egsotig i bellafoedd byd: mordaith i'r Caribî, o leiaf. Wedi'r cwbl, onid oedd hon yn garreg filltir bwysig yn ei fywyd? A doedd arian erioed wedi bod yn broblem iddynt. Roedd gan fy nhad swydd dda yn y gwasanaeth sifil a olygai na fu'n rhaid i'm mam fynd allan i weithio fel pobl normal. Roedd hithau wastad wedi sianelu ei hegni i sicrhau bod gennym gartref cystal â neb ymhlith ein cymdogion.

Ond buan y sylweddolodd fy mam na allai edrych ymlaen at sipian Malibu ar un o draethau gwyn Barbados na dawnsio hyd yr oriau mân mewn disgo *chic* yn Guadeloupe. Roedd cyhoeddiad fy nhad yn mynd i fynd â ni ar daith o fath gwahanol iawn.

'Rwy'n moyn i ni drafod ein hasedau,' meddai hwnnw gan efelychu hunanbwysigrwydd cadeirydd rhyw gwmni mawr, rhyngwladol yn annerch ei gyfarwyddwyr.

Roedd fy mam yn y cyfamser wedi mynd ati i gynnau'r

canhwyllau ar y deisen ond, wrth glywed geiriau anghydnaws ei gŵr, stopiodd ar hanner y dasg ac edrych mewn anghrediniaeth arno. Y peth nesaf a glywodd y cyfarfod oedd cyfres o regfeydd annodweddiadol ganddi wrth i'r fatsien losgi ei bys. Rhedodd fy mrawd a minnau i'w chysuro, ond fe aeth fy nhad yn ei flaen â'i gyhoeddiad fel dyn o argyhoeddiad.

'A mwy na hynny, rwy'n moyn eich hysbysu ynglŷn â'r newidiadau mawr gaiff eu rhoi ar waith yn y tŷ yma o heddiw ymlaen.'

Erbyn hyn roedd y ddelwedd o gadeirydd cwmni rhyngwladol yn annerch ei gyfarwyddwyr wedi diflannu. Dechreuais feddwl bod fy nhad wedi cael pwl. Edrychais â gwir gonsýrn ar fy mrawd, ac yna ar fy mam. Eisteddai hithau ar gadair galed wrth ford y gegin yn sugno ei bys. Edrychai'r tri ohonom i fyw llygaid fy nhad yn y gobaith gwan o weld rhyw esboniad am yr ymddygiad dieithr.

'Gan ddechrau heddiw, rwy'n bwriadu codi tâl ar bob un ohonon ni am ddefnyddio'r tŷ yma. Mewn geiriau eraill, rwy'n mynd i osod y tŷ ar rent i bawb sy'n byw yma.' Ac ar hynny cododd a mynd am y drws.

Doedd fy mam erioed wedi bod yn un i achosi stŵr. Fel gwraig tŷ ffyddlon i'w gŵr roedd hi wedi dysgu sut i'w drin a'i drafod. Roedd gollwng y fath gyhoeddiad i ganol ei threfn, fodd bynnag, wedi'i chyffroi'n lân ond, yn rhannol oherwydd ei hawydd i osgoi ffrae ar ddiwrnod pen-blwydd fy nhad yn hanner cant, ac yn rhannol oherwydd ei phryder ynghylch cyflwr meddwl ei gŵr, dewisodd beidio â mynd ar drywydd dadl na gwneud sbort am ei ben. Roedd ei hymateb, fodd bynnag, yn ddigon rhesymol a dealladwy.

'Ond cariad, ni biau'r tŷ. Sdim eisie 'i osod e ar rent. R'yn ni eisoes wedi cwpla talu amdano.'

Yr eiliad honno roeddwn yn ddiolchgar iawn i'm mam am ddangos y fath feddwl clir. Roeddwn yn gwbl grediniol y byddai fy nhad, wrth glywed hyn, yn rhoi'r gorau i'w jôc a dechrau morio chwerthin, ond nid felly y bu.

'Mae hynny'n wir, cariad. Rwyt ti yn llygad dy le, ond mae'n rhaid bod yn ddarbodus.Trwy osod y tŷ ar rent i ni'n hunain gallwn gadw cownt o'n gwariant. Gallwn gadw golwg ar bob ceiniog, a thrwy hynny wella'n heffeithlonrwydd fel uned.'

Roedd y tri ohonom ar fin protestio nad uned mohonom ond teulu, ond roedd fy nhad eisoes wedi diflannu i'r parlwr i ddechrau rhoi ei gynllun ar waith. Yn reddfol, bron, torrodd fy mam bobo ddarn o'r deisen ben-blwydd i'r tri ohonom, ond doedd fawr o chwant bwyta ar neb.

Mae cyrraedd rhyw ben-blwydd arbennig iawn yn ein taro ni oll rywbryd neu'i gilydd, ac mewn ffyrdd gwahanol. Gwn y gall fod yn adeg o ansicrwydd mawr, ac o dorri ar batrymau sydd wedi hen ennill eu plwyf. Yn yr un modd gall fod yn adeg o bleser. Cyfle i ailasesu ein pwrpas ar y ddaear. Cyfle i fynd ar hyd trywydd gwahanol. Mae rhai'n siŵr o ddewis y llwybr dramatig. Menywod canol oed yn gadael y nyth i chwilio am deganlanc sy'n iau na'i chywion ei hun. Dynion priod yn ffurfio perthynas â menyw arall neu â dyn arall. Arbrofi yn y gobaith o osgoi argyfwng. Gwell gan eraill lwybr llai anturus gan fodloni ar newid tymor-byr fel newid lliw neu steil gwallt, tyfu barf neu brynu rhyw ddilledyn truenus o ifanc i'r corff canol oed. Chwarae am gyfnod byr cyn diosg y ddelwedd newydd a dychwelyd i'r llwybr canol yn anfodlon eu byd ond eto'n rhy ddifater neu lwfr i fynd â'r maen i'r wal. Fyddai'r hyn a wnaeth fy nhad, fodd bynnag, ddim yn ffitio'n hwylus i'r un o'r ddau gategori yma.

Bid siŵr roedd y llwybr a ddewisodd yn ddramatig. Fyddai neb yn anghytuno â hynny, ond wnaeth e ddim gadael cartref, a wnaeth e ddim newid lliw ei wallt, chwaith. Mae'n debyg bod fy nhad yn perthyn i gategori arall fyth, i'r bobl hynny sydd, yn sydyn reit, yn sylweddoli bod ganddynt weledigaeth. Mae rhai pobl yn symud yn reddfol at y llwybr hwn gan eu bod yn gwynto grym a dylanwad a chan eu bod yn ddigon hunanbwysig i dybio bod ganddynt gyfraniad o bwys y gallant ei orfodi ar y gweddill ohonom. Fel arfer rhyw fath o lwybr ysbrydol neu wleidyddol yw hwn, ac fe aeth fy nhad ar hyd iddo â sêl ffwndamentalaidd rhywun wedi'i aileni. Ac fel unrhyw un arall sydd wedi'i aileni ac sydd â'i fryd ar ledaenu'r gair, boed yn ysbrydol neu'n wleidyddol, amharod iawn oedd e i ymateb yn bositif i unrhyw amheuon a ddaeth o du fy mam, fy mrawd a minnau.

Yn naturiol ddigon doedd fawr o naws dathlu yn ein tŷ ni weddill y diwrnod hwnnw, a rhyw chwythu ei blwc yn ddi-ffrwt wnaeth pen-blwydd fy nhad yn hanner cant.

Fore trannoeth, ac yntau wedi bod wrthi drwy'r nos yn gweithio ar fanylion ei gynllun radicalaidd, ailymunodd fy nhad â'i deulu wrth y ford frecwast. Roedd fy mam, fy mrawd a minnau'n dal i fod yn ddigon clir ein meddyliau ac yn ddigon craff i weld gwendidau amlwg yn y cynllun, a phenderfynwyd dweud hynny wrtho. Y gwendid sylfaenol, wrth gwrs, oedd bod yr holl beth yn gwbl ddi-alw-amdano. Onid oedd mwy i'w golli nag i'w ennill? Roedd bywyd yn ddigon o her heb y cymhlethdodau newydd hyn. Fy mam, chwarae teg iddi, oedd uchaf ei chloch. Roedd fy mrawd a minnau, er yn chwyrn ein gwrthwynebiad, yn barotach i ildio i ddoniau perswâd fy nhad. Yn un peth, tybiem y byddem ein dau yn gadael y nyth cyn bo hir, beth bynnag. Ond roedd gan fy mam lawer mwy i'w golli.

Roedd fy mam wastad wedi bod yn fwy gwaraidd ac yn fwy cytbwys na'i gŵr, ac roedd mwy yn ei phen, ond roedd y blynyddoedd o aros gartref a dilyn ei gyrfa fel gwraig tŷ wedi gadael eu hôl arni. Roedd hi wedi tyfu'n gyfarwydd â dilyn arweiniad ei chymar ar faterion o bwys, hyd yn oed pan wyddai ym mêr ei hesgyrn nad oedd yr arweiniad hwnnw bob amser yn ddoeth. Roedd ildio wedi dod yn ail natur iddi. Ildio er mwyn peidio â chreu ffwdan. Ildio er mwyn peidio â chwalu confensiwn. Ildio er mwyn osgoi cyfrifoldeb. A sefyllfa felly oedd yn bodoli yn ein cartref ni drannoeth pen-blwydd fy nhad. Fe gyfrannodd pawb at y ddadl, ond roedd atebion fy nhad yn ysbrydoledig. Roeddem yn byw mewn oes radicalaidd. Roedd yr hen drefn yn prysur gael ei throi ben i waered. Roedd angen addasu er mwyn sicrhau ein parhad fel uned. Roedd angen hyblygrwydd. Roedd angen y farchnad fewnol. O dipyn i beth gadawyd iddo ein llorio.

Rhoddodd fy nhad ei athroniaeth newydd ar waith yn ddiymdroi.

Fel cam cyntaf yn ei gynllun roedd e wedi dosrannu'r tŷ yn ofodau byw. Un gofod byw i'm mam, un i'm brawd, un i minnau, ac un iddo yntau. Am bob un o'r rhain byddai tâl, a byddai cost rhentu gofod yn dibynnu'n union ar ei faint. Yn hynny o beth roedd fy mrawd yn lwcus. Fel aelod ieuengaf y teulu, ganddo fe roedd y gofod lleiaf. Ond buan y trodd ei lawenydd yn bryder wrth iddo sylweddoli bod ganddo broblem nid ansylweddol. Roedd fy mrawd yn dal yn yr ysgol ac yn astudio i fynd i'r brifysgol. Sut yn y byd, felly, y câi hyd i'r arian i dalu am y gofod lleiaf, hyd yn oed? Roedd gan fy mam broblem debyg. Fel gwraig tŷ doedd ganddi ddim incwm. Ar ben hyn oll roedd gofyn i bawb gyfrannu at gost llogi'r gofodau eraill yn y tŷ: y gegin, y lolfa, yr ystafell ymolchi, i enwi ond rhai. Roedd gan bawb bythefnos i addasu i'r drefn newydd. A chyda'r cyhoeddiad swta hwnnw fe adawodd fy nhad y gegin, neu'r 'gofod paratoi bwyd', â'r sydynrwydd a oedd yn dechrau nodweddu ei gymeriad newydd.

A'r sydynrwydd yma, ynghyd â'r elfen o sioc, oedd ei gyfrinach, erbyn meddwl, oherwydd yn lle codi'n un llais a gwrthwynebu'r amodau newydd, dyma fy mrawd yn mynd ati'n gwbl awtomatig i geisio cael hyd i ffyrdd o gwrdd â'r gofynion. Bu'n ystyried gwahodd ei gariad i ddod i fyw ato yn ei ofod cysgu er mwyn rhannu'r gost. Y syndod mwyaf oedd clywed fy mam yn cyd-fynd â'r syniad. Ddiwrnod ynghynt fyddai fy mrawd ddim wedi meiddio crybwyll y fath beth, er cymaint ei awydd i wneud hynny. Fy mam, fodd bynnag, ddangosodd y dyfeisgarwch mwyaf. Ar ôl ei hanobaith cychwynnol dyma hi'n codi fel draig i ymgymryd â'r her. Yn hynny o beth daeth rhywfaint o ddaioni o'i sefyllfa newydd. Gallai chwilio am swydd ran amser ac ychwanegu at ei hincwm trwy godi tâl ar fy nhad a ninnau am unrhyw waith smwddio, coginio, glanhau, ac yn y blaen. Aeth fy mam a'm brawd i'w gofodau i roi'r manylion ar bapur.

Yn ystod y dyddiau canlynol daeth sawl peth yn amlwg. Doedd y gwaith o bennu lefelau gwahanol o rent ddim yn mynd i fod yn hawdd. Byddai eisiau sefydlu system er mwyn casglu cyfraniadau pawb. Byddai eisiau rhyw fath o gyfundrefn ar gyfer rhannu cost trydan, nwy, ffôn, ac yn y blaen. Daeth yn fwyfwy amlwg bod angen rhywun i ofalu am y cyfrifon. Bu sôn am gyflogi cyfrifydd yn rhan amser, ond gwrthodwyd hyn ar y dechrau oherwydd y gost. Erbyn canol yr wythnos, fodd bynnag, cyflwynodd fy nhad reol arall. O hynny ymlaen byddai disgwyl i bob un ohonom gofnodi faint o fwyd o'r stoc ganolog a fwytem, a rhoi'r tâl priodol ar ddiwedd yr wythnos. Byddai hyn, fe'n sicrhawyd, yn lleihau ar wastraff dianghenraid ac yn gwella effeithlonrwydd. Roedd croeso i unrhyw un dorri ei gwys ei hun a chwilio am fwyd rhatach yn rhywle arall, ond fe'n rhybuddiwyd y byddai tâl ychwanegol, rhyw fath o doll, yn cael ei godi ar unrhyw nwyddau a ddeuai i'r tŷ o ffynhonnell arall. Roedd angen hynny, meddid, i dalu am y gost o roi'r gyfundrefn ar waith. Yn fuan iawn ar ôl clywed hynny penderfynwyd mai da o beth fyddai cyflogi cyfrifydd wedi'r cwbl.

Trodd y dyddiau'n wythnosau a'r wythnosau'n fisoedd. Cyn hir roedd y system newydd yn gweithio, wel, fel cloc mae'n debyg. Mi gafwyd anawsterau o dro i dro, wrth gwrs, ond fel y dywedodd fy nhad, roedd hynny i'w ddisgwyl. Roedd gan bob syniad newydd ei broblemau ar y dechrau. Ar yr ochr bositif cafwyd prysurdeb na welwyd mo'i debyg erioed o'r blaen ymhlith aelodau'r teulu. Yn ogystal â'r incwm a enillai yn sgil ei busnes golchi a smwddio, roedd fy mam wedi hen setlo yn ei swydd fel gweinyddes ran amser yn y Gegin Fach. Ei chŵyn fwyaf oedd am y wisg wirion roedd yn rhaid iddi hi a'r merched eraill ei gwisgo. Am fod y Gegin Fach mewn safle amlwg ar y brif stryd gyferbyn â'r castell roedd yn dipyn o gyrchfan i'r lliaws twristiaid a ddeuai i'r dref – Ffrancod, Americanwyr, Saeson ac Almaenwyr, yn bennaf. Dyn o Dudley yng Nghanolbarth Lloegr oedd yn berchen ar y Gegin Fach. Gwelsai ei gyfle ddechrau'r 1990au pan oedd prisiau tai a busnesau yng Nghymru bron i hanner yr hyn oeddynt yn ei ran yntau o'r byd. Symudodd i'r Dywysogaeth ac agorodd y Gegin Fach. Ac fel rhan o'i awydd i gofleidio popeth Cymraeg a Chymreig cyflwynodd ryw ffurf lastwraidd ar y wisg genedlaethol yn wisg swyddogol, orfodol i'w staff, gan ddadlau y câi groeso brwd ymhlith y twristiaid o bant a'r Cymry lleol fel ei gilydd. Doedd fawr o groeso iddi ymhlith ei staff canol oed, fodd bynnag, gan gynnwys fy mam.

'Mae rhywun yn teimlo mor fach,' meddai ar ôl ei phrynhawn cyntaf o weini, 'yn enwedig o flaen cwsmeriaid rwy'n nabod. Mae fel gwisgo dillad pantomeim. Ond beth wnei di? Os wyt ti'n moyn cadw dy job. Mae pobman 'run peth. Cer i unrhyw siop yn y dre ac mi weli di nhw yn eu hetiau gwellt a'u dici-bos a'u cotiau-streip coch a gwyn, a phobun wedi cael siars i wenu'n Americanaidd braf am bum punt a phum ceiniog yr awr. Bois bach, bois bach. R'yn ni'n byw yn oes y gwisgo lan!'

Yn ddi-os, y brotest emosiynol hon oedd y datganiad mwyaf gwleidyddol i ddod o enau fy mam erioed. Ond ar ôl bwrw ei bol yn yr wythnos gyntaf honno fe setlodd yn iawn yn ei gwaith.

Roedd gan fy mrawd, hefyd, swydd ran amser. Fel yn achos fy mam, bu'n fater o raid. Ar ôl mis o geisio talu am ei ofod cysgu, ac yntau heb incwm am ei fod yn yr ysgol o hyd, aeth fy mrawd i ddyled fawr ac oherwydd ei argyfwng penderfynodd chwilio am swydd. Ar y dechrau llwyddodd i gadw cydbwysedd da rhwng ei waith academaidd a'i waith yn y siop, ond ymhen ychydig wythnosau aeth y trefniant hwnnw'n ffradach yn sgil tueddiad cynyddol ei fòs i'w ffonio gartref a'i alw i'r gwaith yn hollol ddirybudd. Pan ofynnodd fy mrawd am gael ei roi ar rota sefydlog, wythnosol dywedwyd wrtho nad oedd y siop yn gweithio yn ôl system felly a bod disgwyl iddo fod ar gael i'w siwtio nhw o wyth tan wyth, saith diwrnod yr wythnos. Ar ôl iddo glywed hynny y dechreuais weld ei waith academaidd yn dirywio.

Yr hyn oedd yn rhyfedd drwy gydol y bennod arbennig hon yn hanes ein teulu oedd anallu fy nhad i sylweddoli, neu i dderbyn, nad oedd ansawdd ein bywydau wedi gwella dim. Aeth ymlaen â'i syniadaeth â dygnwch anghyffredin. Ffynnai ar y mynydd o waith papur ychwanegol. Daeth ei reolau yn fwy niferus gyda phob wythnos newydd. Treuliai oriau di-rif yn ei ofod cysgu yn chwilio am ffyrdd i ddatrys y cymhlethdodau cynyddol. Collodd ei ddiddordeb angerddol mewn golff. Collodd gysylltiad â'r pethau gwâr. Prin oedd y Gymraeg rhyngddo a'r gweddill ohonom. Yn wir, siaradai fwy â'r cyfrifydd a oedd bellach yn cael ei gyflogi'n llawn amser ac yn meddiannu un o'r gofodau yn ein tŷ.

Ar un olwg roedd dyfodiad y cyfrifydd yn fendith, er

i'm brawd a minnau gwyno digon ar y dechrau. Wedi'r cwbl roedd presenoldeb dyn diarth yn y tŷ yn . . . wel, roedd yn ddiarth. Ond y gwir plaen amdani oedd na allai'r un ohonom fforddio'r rhent y disgwylid i ni ei dalu, a phan gynigiodd y cyfrifydd ysgafnhau rywfaint ar y baich trwy gymryd y les ar ofod cysgu fy mrawd, hanerodd ein problemau dros nos. Dyma fy mrawd yn gwacáu ei ystafell a symud i fyw ataf i, ac er bod pethau braidd yn gyfyng, daeth y ddau ohonom yn gyfarwydd â'r trefniant newydd cyn pen fawr o dro. A daethom yn gyfarwydd â chwmni'r cyfrifydd, hefyd. Roedd e bob amser wrth law i ateb ein cwestiynau ac i roi cyngor parod, ac oherwydd ei fod yn byw o dan yr un to â ni, gallai gynnig telerau arbennig am ei wasanaeth. Yn sydyn, gyda'r gostyngiad annisgwyl yn ein gorbenion a'r telerau ffafriol gan y cyfrifydd, roedd fy mrawd a minnau ar ben ein digon am gyfnod. Felly hefyd fy mam. Ynghanol ei holl brysurdeb roedd hi wedi llwyddo i ddal ei gafael ar ei garddio, ond bellach talai ei diddordeb ar ei ganfed. Dechreuodd godi ar fy nhad, fy mrawd a minnau am yr oriau mawr a dreuliai yn trin y blodau a'r lawnt, er bod hynny'n ddiléit ganddi erioed. Yn rhyfedd ddigon doedd dim disgwyl i'r cyfrifydd gyfrannu. A chyda phawb yn y tŷ, wel bron pawb, yn talu i bawb arall am bopeth, roedd mwy na digon o waith i gadw'r cyfrifydd yn brysur.

O edrych yn ôl dros y cyfnod rhyfeddol hwn, yr wythnosau yn union wedi dyfodiad y cyfrifydd oedd yr adeg fwyaf creadigol, ar un olwg. Doeddwn i erioed wedi gweld fy mam mor ddiwyd. A rhwng ei waith rhan amser yn y siop a'i waith academaidd, doedd gan fy mrawd ddim eiliad i'w sbario. Felly hefyd fy nhad, pensaer yr holl newidiadau. Gweithiai yn y swyddfa o naw tan bump, a gweithiai yn ei ofod cysgu gyda'r hwyr, weithiai tan hanner nos, yn ceisio symud y mynydd o waith papur oedd yn dal i bentyrru er gwaethaf presenoldeb y cyfrifydd. Ond gallem weld bod y gwaith yn pwyso arno. Ar ôl ychydig fe ddechreuodd y dasg nosweithiol golli ei hapêl ac roedd y cyfrifydd yn ddigon craff i sylwi ar hynny. Pan gynigiodd hwnnw symud y baich oddi ar ysgwyddau fy nhad roedd yntau'n fwy na pharod i adael iddo wneud, er y gwyddai'n iawn y byddai pris i'w dalu am daflu'r baich hwnnw. Ond o ddilyn rhestr brisiau fanwl ein 'cyfaill cyfrifol', fel y mynnai fy nhad ei alw, digon hawdd oedd amcangyfrif cost pob eitem o wasanaeth. O dipyn i beth dyma fy nhad yn trosglwyddo mwy a mwy o gyfrifoldebau i ofal y cyfrifydd; ac o dipyn i beth dyma hwnnw'n ymgymryd â mwy a mwy o benderfyniadau o bwys.

Un o'r rheini oedd y penderfyniad i osod metr dŵr ymhob un o'r gofodau. Byddai hyn, meddid, o fudd i'r amgylchedd yn y tymor hir ac, yn bwysicach na dim, yn gwella iechyd ariannol yr uned. Byddai'n gymhelliad i bawb ddefnyddio llai o ddŵr a byddai hynny, yn ei dro, yn helpu i leihau'r biliau. Ac ar ôl talu bil y cyfrifydd am y cyngor diweddaraf yma fe ddechreuodd yr uned weld gwahaniaeth. Am y chwarter cyntaf hanerwyd ein tâl am ddŵr, ond roedd pris arall i'w dalu am gyflawni hynny. Segur, bellach, oedd y peiriant golchi llestri am ei fod yn defnyddio gormod o lawer o ynni a dŵr. Segur hefyd oedd y bath am ei fod yn rhy gostus i'w lenwi. Erbyn meddwl, prin bod llawer o fynd ar y gawod, chwaith, er bod honno'n rhatach. Ond yr hyn a drodd fenter ddiweddaraf y cyfrifydd yn lladdfa oedd yr haf anarferol o sych a gawsom. Rhwng diwedd Mehefin a dechrau mis Medi ni ddisgynnodd yr un diferyn o law ar fusnes garddio fy mam. Llwyddodd yn wyrthiol i ddod i ben â'i phroblem am rai dyddiau trwy ddefnyddio'r dŵr a gasglodd mewn twba mawr yn ystod misoedd y gwanwyn. Pan ddaeth pall ar hwnnw bu'n rhaid cadw'r dŵr brwnt ar ôl golchi'r llestri â llaw, ond am fod golchi'r llestri wedi mynd yn beth prinnach oherwydd y gost, doedd dim dŵr brwnt gwerth sôn amdano i'w daflu ar yr ardd. Yr hyn a dorrodd galon fy mam yn fwy na dim oedd gweld ei chymdogion yn tendio'u gerddi o fore gwyn tan nos, a'r dŵr yn llifo.

Ond fe adawodd yr ymyrraeth naturiol hon ei hôl ar rywbeth mwy o lawer na'r busnes garddio. Roedd fy mam wedi mynd yn fwy ac yn fwy digalon oherwydd y sychder mawr a oedd, i bob pwrpas, wedi rhoi stop ar ei menter broffidiol, a thrwy hynny haneru ei bywoliaeth. Ar ôl rhannu ei gofidiau yn dawel gyda fy mrawd a minnau bob dydd am bythefnos, bron, fe dorrodd ei hamynedd a dyma hi'n mynd â'i chŵyn at fy nhad. Ar un adeg byddai hwnnw wedi bod yn fwy na pharod i wrando a chynnig atebion, ond ers cychwyn ei gynllun radicalaidd i wyrdroi ein ffordd o fyw, roedd fy nhad wedi teithio'n bell oddi wrth ei deulu. Bellach nid oedd ganddo'r gallu i ddeall na gwerthfawrogi dyfnder yr ing oedd yn cnoi ei wraig. Ac wrth i'r ddau wynebu ei gilydd ar y prynhawn llethol hwnnw yn niwedd mis Awst fe gododd storm fy mam dros ben ei gŵr heb lwyddo hyd yn oed i godi blewyn.

Fore trannoeth gadawodd y cartref a fu'n gymaint o noddfa iddi yn ystod saith mlynedd ar hugain o lân briodas a symud i fyw i fflat-un-ystafell uwchben y Gegin Fach. Ac er nad yw pethau yno mor gartrefol â'i chartref cynt, rhwng y pyliau o chwerwedd, mae'n ddigon bodlon ei byd, ac ystyried popeth. Os rhywbeth, mae hyder newydd yn ei chylch. Wythnos yn ôl aeth fy mrawd i'r brifysgol, yr unig fyfyriwr i fod at ei glustiau mewn dyled cyn dechrau ei gwrs. Ac yntau, fy nhad, mae hwnnw bellach yn cael help i ddod nôl o'i antur hir. Mae'r ysbyty'n galonogol iawn ac yn ffyddiog y daw ymhen amser, ond golwg ddigon pell oedd arno pan es i'w weld y dydd o'r blaen. Fi yw'r unig un sydd ar ôl yn y tŷ erbyn hyn – fi a'r cyfrifydd, hynny yw. Yn ei ffordd arferol mae hwnnw'n gwneud ei orau glas i'n perswadio i werthu'r cyfan tra bo'r farchnad yn ffafriol, gan ein sicrhau y byddai'n fwy na pharod i gynnig help er mwyn cael pris da. Newydd fynd i'w weld ydw i, a dywedais wrtho am fynd i'r diawl!

Angladd yn y Wlad

Aethon ni i gyd i'r wlad y prynhawn hwnnw, Benjamin a minnau a'r plant. Do, fe ddaeth y plant – Duma, Oupa a Mojalefa bach. A daeth Theresa, fy chwaer, a Francis, ei gŵr. Aethon ni i gyd i'r wlad y prynhawn hwnnw yn un teulu mawr, yn deulu cyfan, i'r angladd yn y wlad. Mynd er mwyn Martha wnaethon ni ac er parch i Reid, ei mab. Fe'i lladdwyd gan y milwyr ac yntau ond yn bymtheg oed, yr un oedran â Duma fy mhlentyn hyna. Mae'n anodd meddwl ei fod e'n farw. Mae'n anodd meddwl nad oedd modd osgoi'r gyflafan. Mae'n anodd dychmygu'r bwled yn treiddio i'w ymennydd a'r gwaed coch yn araf lifo ar hyd ei dalcen du. Bu farw ar fympwy'r heliwr fel carw yn ceisio dianc rhag y dryll. Mab Martha, fy ffrind.

Diwrnod ei angladd codais yn fore, a'r dreflan gyfan o hyd yn breuddwydio'u delweddau du a gwyn, a'r rheini'n cael penrhyddid i ymgymysgu yn eu cwsg. Roedd yr haul eisoes yn uchel yn yr awyr las uwchben De Affrica, ac edrychais ar y dreflan, ac ar gartrefi fy nghymdogion. Miloedd o gytiau diolwg yn ymestyn yn rhesi unffurf, digymeriad bant o olwg a chydwybod y ddinas wen. Ac o'u cwmpas roedd y bryntni a'r drewdod yn gymysg â'r trugareddau modern, ond ail-law, a roddwyd gan y gwynion i'n cadw rhag cwyno. Ac yn y gwynt gallwn glywed y sôn am chwyldro; yr wylofain gorgyfarwydd a fynnai beidio â chodi'n storm. Doedd dim byd wedi newid yn ystod pymtheng mlynedd, ond bod Martha, fy ffrind, wedi mynd. Cafodd orchymyn i symud i gartre llai am fod ei theulu'n llai na'r gweddill yn ein rhes. Martha, fy ffrind gorau yn y byd.

Bymtheng mlynedd yn ôl roedden ni'n dwy yn disgwyl ein plant cynta. Dwy ddarpar fam. Dwy ffrind oedd yn debycach i ddwy chwaer. Roedden ni'n arfer byw y drws nesa i'n gilydd yr adeg honno ac yn gweithio yn yr un faestref grand. Morwyn oedd Martha yng nghartre meddyg, a'm gwaith innau oedd glanhau tŷ Mr Tremeer, y plisman, a gofalu am Peter, ei fab. A phob nos ar ôl cwpla yn y gwaith bydden ni'n dwy yn teithio gyda'n gilydd ar y bws llawn iawn adre o faestrefi'r gwynion yn y ddinas fawr. Gwneud pryd o fwyd wedyn ac eistedd mas tu fas wrth ochr yr hewl sych a llychlyd a siarad am y plant oedd ynon ni. Siarad am ein gwŷr. Siarad am ein dyheadau gwyllt. Dyddiau dedwydd oedd y dyddiau hynny. Dyddiau diniwed, a'r dyfodol heb ddigwydd. Nawr dim ond gorffennol sydd. O'r braidd bod yr un ohonon ni wedi meddwl, bymtheng mlynedd yn ôl, y buasai'n rhaid mynd i'r fath angladd yn y wlad.

Roedd hi'n angladd fwy na'r cyffredin, a hynny mewn cyfnod pan oedd pob angladd yn fawr. Wrth i ni gyrraedd y fynwent ar y bryn gallwn weld y lluoedd oedd wedi dod ynghyd, rhai i wylio, rhai i wylo a rhai i gladdu eu dicter a'u rhwystredigaeth yn y pridd. Ac o gwmpas y fynwent gallwn weld y lluoedd eraill yn ein herio a'n pryfocio â'u diffyg parch. Milwyr arfog mewn cerbydau arfog, plismyn arfog a'u cŵn, yn syllu, yn chwerthin, yn gwawdio â holl hunanhyder eu hil. A rhyngon ni a nhw roedd llygaid y byd. Rhyngon ni a nhw roedd y newyddiadurwyr a'r camerâu teledu, yn barod i dystiolaethu, ond yn ffaelu dylanwadu. Rhyngon ni a nhw roedd cyfandir o fwlch.

A cherddais gyda'm teulu trwy glwydi'r fynwent i chwilio am y fam oedd yn claddu ei mab. Cerddais heibio i hen gymdogion, arweinwyr eglwysig ac aelodau o'r Gyngres. Ac o'r diwedd fe'i gwelais. Gwelais fy ffrind yn gwarchod yr arch. Safai'n unig, yn ddifynegiant, fel ynys ynghanol môr o donnau du, yn ymgorfforiad o gyflwr De Affrica. Ac am eiliad gallwn weld y ferch feichiog a adwaenwn bymtheng mlynedd ynghynt. Ni ddywedais ddim am fod gormod i'w ddweud. Roedd gormod i'w deimlo. Gafaelodd yn fy mraich a diflannodd fy nghywilydd. Ac felly y safon ni'n dwy, fraich ym mraich, drwy gydol y gladdedigaeth, trwy'r areithiau, a thrwy emyn y bobl ddu. Dwy fenyw ddu ac un wedi colli mab.

Ac yna fe ddechreuodd, heb reswm, heb rybudd. Daeth y saethu, y gweiddi, y sgrechian, y cyfarth. Daeth milwyr, a daeth y plismyn a'u cŵn. Fe ddaethon nhw o bobman, dros furiau'r fynwent, gan ruthro tuag aton ni. A gwasgarodd fy mhobl fel haid o wartheg, yn ffoi rhag y bwled, y *sjambok* a'r nwy. Gwelais blant yn llefain a llanciau cydnerth yn plygu dan ergyd y chwip. Gwelais bobl mewn oed yn rhedeg rhag y cŵn. Gwelais bastynau a drylliau. Gwelais ddiwedd angladd mab fy ffrind.

Arestiwyd cannoedd. Diflannodd fy meibion.

*   *   *

Mae gyda fi dri mab, Duma, Oupa a Mojalefa bach, fel rwyf eisoes wedi sôn. Blwyddyn sydd rhwng pob un, a'r ieuenga'n dair ar ddeg. Tri phlentyn, mewn gwirionedd, ie dyna chi, tri phlentyn. Dair wythnos yn ôl ni ddaeth yr un ohonyn nhw adre o'r wlad. Fe'u harestiwyd mewn mynwent ac aed â nhw bant mewn fan. Dywed yr heddlu taw gyda nhw mae'r tri. Rwyf wedi gofyn pam, ond does dim ateb yn dod. Dyna sy'n digwydd yn Ne Affrica y dyddiau hyn. Nawr maen nhw hyd yn oed yn mynd â'n plant.

Bydda i'n mynd i swyddfa'r heddlu bob dydd cyn mynd i'r gwaith, ond does neb yno byth yn dweud gair. Bydda i'n aros gyda'r mamau eraill am ryw ddwyawr cyn mynd i dŷ Mr Tremeer, y plisman. Ydw, rwy'n dal i lanhau tŷ Mr Tremeer a gofalu am anghenion Peter, ei fab. Pymtheng mlynedd o wasanaeth. Pymtheng mlynedd o fagu mab rhywun arall er bod hwnnw bellach yn ddyn. Mae Peter yntau'n dad erbyn hyn. Mae e'n briod ac mae gyda fe wraig a babi bach. Mab naw mis oed a hwnnw'n tynnu ar ôl ei dad. Maen nhw'n deulu digon serchus. Maen nhw'n gyflogwyr digon piwr. Mae eu bywyd yn ddi-boen a'u byd i gyd yn wyn.

Y bore 'ma, yn ôl fy arfer, daliais y bws i swyddfa'r heddlu ac aros yno gyda'r lleill. Ond yn ôl eu harfer ni ddywedodd y plismyn ddim. Arhosais am ddwyawr, ac wrth imi adael i fynd i'r gwaith gwelais Mr Tremeer yn cyrraedd. Mae e'n drydydd o ran pwysigrwydd yn y swyddfa honno. Mae e'n ddyn pwysig iawn. Edrychodd yn syn arna i ond ni ddywedodd yr un gair.

Rwy'n poeni'n ofnadwy am fy meibion.

Yn hwyr y prynhawn 'ma dychwelodd Mr Tremeer i'r tŷ. Roeddwn i ar fin mynd tua thre. Gofynnodd beth oedd enwau fy meibion. Llamodd fy nghalon. Atebais ddwywaith. Yna troes heb ofyn rhagor ac aeth i'w swyddfa ym mhen draw'r cyntedd. Arhosais innau ar ganol llawr y gegin a'm calon yn curo yn fy mhen. Eisoes gallwn ddychmygu fy meibion yn rhedeg tuag ata i. Gallwn deimlo'u hwynebau glân yn gwasgu yn erbyn fy nghorff. Ar ôl pymtheng mlynedd o wasanaeth i Mr Tremeer, hon yn anad dim, fe gredwn, oedd ei weithred fwya cymwynasgar. Pan ddaeth e'n ôl i'r gegin rhuthrais tuag ato. Dywedodd yn ei lais digyffro fod fy meibion yn y ddalfa yn agos i fan hyn a bod y tri wedi cael eu harestio o dan bwerau arbennig y wladwriaeth. Doedd gyda fe ddim rhagor o wybodaeth.

Fe goda i'n fore bore fory pan fydd y dreflan gyfan o hyd yn breuddwydio'u delweddau du a gwyn. Ac fe gerdda i drwy'r rhesi unffurf, digymeriad, heibio i gartrefi fy nghymdogion, i ddala'r bws i dŷ Mr Tremeer yn y ddinas wen. Ac yno af i ati fel arfer i wneud fy ngwaith. A phan fydd hi'n dawel, tua diwedd y bore, af i lan i ystafell y babi bach. Fe ddoda i siôl amdano a mynd ag e at Martha yn y dreflan ddu. Ac yno y caiff ei gadw hyd nes i'm meibion ddod adre.

[Ymddangosodd y stori hon yn wreiddiol yn *A Sydd am Afal* a gyhoeddwyd yn 1989 gyda'r bwriad o godi arian i gynorthwyo yn y frwydr i drechu AIDS. Ar y pryd roedd pobl De Affrica'n dal i ddioddef gorthrwm apartheid. Trechwyd y gyfundrefn honno. Y gelyn, bellach, yw AIDS.]

Stafelloedd

'Esgusodwch fi. Dwi'n chwilio am Gymdeithas . . .'

Ni chlywodd Cai y gweddill. Rhythodd yn ddifynegiant ar wyneb y dieithryn yn ei ymyl cyn troi oddi wrtho a'i adael i sefyll ar ganol y pafin, ar ganol brawddeg. Brasgamodd ar hyd y llwybr a groesai'r pwt o ardd goncrit o flaen y tŷ teras, mawr. Roedd y drws ar agor, fel arfer, ac aeth trwyddo heb godi'i ben a heb edrych yn ôl. Dringodd y grisiau digarped ddwy ris ar y tro gan ymwthio heibio i'r ferch gwallt gwyrdd a ddeuai tuag ato o'r llawr cyntaf. Ni fu unrhyw gyfathrach rhyngddynt, ac ni sylwodd Cai ar y ddwy lygoden yng ngwaelod y bwced plastig oedd yn ei llaw. Cyrhaeddodd ben y grisiau. Aeth heibio i ddrws agored y ferch gwallt gwyrdd. Dododd ei allwedd yng nghlo'r drws i'w fflat-un-stafell a'i agor. Aeth i mewn. Caeodd y drws.

Yn yr hanner gwyll pwysodd yn erbyn y pared. Diolchodd ei fod wedi llwyddo i osgoi Mrs Davies drws nesaf a'i chŵyn feunyddiol. Safodd yno am funudau lawer er mwyn ymgyfarwyddo â naws y stafell foel. Roedd llonyddwch y pethau o'i amgylch yn gysur. Roedd curiad ei galon i'w glywed yn uchel yn ei glustiau ac roedd hynny'n ddigon o galondid i Cai. Cerddodd at y ffenest yn y gornel bellaf. Roedd ambiwlans a char heddlu yn sgrialu o gwmpas trogylch ar eu ffordd i'r ysbyty anferth yn y pellter. Uwch eu pennau roedd hofrennydd yn hofran ac ar y ffordd ddeuol roedd y traffig yn un rhes ddi-baid. Caeodd Cai y llenni tenau a diflannodd yr olygfa ddinesig.

Roedd chwant bwyta arno. Aeth draw at y gwresogydd dŵr ar y wal gyferbyn a chynnau'r nwy. Llosgwyd ei lygaid wrth iddo syllu i grombil y fflam las. Gadawodd i'r dŵr lifo i'r sinc a oedd wedi cracio ac wedi'i staenio'n felyn gan flynyddoedd o ddefnydd a chamddefnydd degau o denantiaid o'i flaen. Tynnodd dwba plastig o boced ei got a rhwygodd y clawr ar agor. Daliodd y pot nwdls o dan y dŵr twym cyn codi llwy o'r sinc i droi'r gymysgedd. Gallai wynto'r arogl sbeislyd, sur yn llenwi'r stafell. Roedd noson hir o'i flaen a lledwenodd Cai yn ddiarwybod wrth feddwl am hynny. Yr adeg hon oedd ei wobr bob dydd, ei gyfle i deithio a chymdeithasu. Eisteddodd ar gadair galed o flaen y ford hen ffasiwn. Arni roedd ei gyfrifiadur, yr unig beth yn y stafell gyfan a berthynai i'r unfed ganrif ar hugain. Daethai popeth arall i stop ymhell cyn diwedd yr hen un, yn ystod oes a fu. Tynnodd ei law dros y bysellfwrdd a gwasgodd y botwm i gynnau'r peiriant. Clywodd hymian cyfarwydd y modur. Clywodd sŵn y deialu'n ei rwydo, a gwthiodd lwyaid o'r nwdls i'w geg.

croeso i'r gymuned ryngwladol, ynyswr! wyt ti am dynnu sgwrs? wyt ti am sibrwd?

ynyswr: hai! oed, rhyw, lle?
angel: 28, benyw, L.A. ti?
ynyswr: 23, gwryw, cymru
angel: mae hynny'n bell
ynyswr: pell o ble?
angel: pell o bobman

ynyswr: mae'n dibynnu ble mae pobman. mae'n bell o realiti

angel: beth yw hwnna?

ynyswr: beth bynnag ti'n moyn iddo fod

ynyswr: . . . ond mae'n nes at ffantasi. at chwedloniaeth. at garicatur

angel: wyt ti'n byw mewn tŷ?

ynyswr: rwy'n byw mewn castell. mae cymru'n llawn cestyll

angel: ydy e'n fawr?

ynyswr: mawr a hen

angel: wyt ti'n unig yn dy gastell?

ynyswr: mae 'da fi weision a morynion a phobl o 'nghwmpas

angel: wyt ti'n hapus?

ynyswr: rwy'n byw mewn cysur

angel: rwy'n hapus achos 'mod i'n siarad â ti

ynyswr: rwy'n gorfod mynd

angel: mor fuan? pam?

ynyswr: hwyl

angel: gawn ni siarad eto?

ynyswr: cawn

angel: dere 'nôl yn fuan i'r stafell hon

Pwysodd Cai yn ôl yn ei gadair. Syllodd ar y sgrîn o'i flaen. Cliciodd y llygoden yn ei law dde a phwysodd ymlaen unwaith eto.

Haleliwia! Mae E'n fyw! Croeso i'w E-dabernacl E!

achubwyd: hai. adnod, pennod, llyfr?

ynyswr: hai. oed, rhyw, lle?

achubwyd: 30, gwryw a diolch i'r Iesu. ti?

ynyswr: 40, benyw, diolch i dechnoleg, diolch i'r we, diolch i fi

achubwyd: diolch i ti?

ynyswr: fi sy wedi dewis. felly diolch i fi

achubwyd: ond rydym oll mewn dyled iddo Ef

Cofiodd Cai am ei ddyled i'r banc a chliciodd ar y llygoden i ymadael â'r E-dabernacl.

Y tu allan ar y landin gallai glywed lleisiau'n dadlau, arwydd sicr bod Taylor yn casglu rhenti pawb. Roedd llais Mrs Davies yn mynd a dod, arwydd sicr ei bod hi wedi dechrau ar y sieri'n gynnar. Estynnodd am ei lyfr rhent a'i lyfr siec a nododd y gwahaniaeth yn nyletswyddau'r ddau. Arhosodd am y gnoc ar y drws ac oedodd yn fwriadol cyn mynd i'w ateb. Daeth cnoc arall, a phan oedd e'n barod aeth i dalu ei ddyled iddo Ef. Edrychodd Cai ar y dyn canol oed a safai o dan y golau noeth rhwng ei stafell e a stafell Mrs Davies. Y tu ôl iddo roedd ei gymdoges yn dal i fwmian ei hanniddigrwydd wythnosol yn ofer ac yn bygwth symud i rywle gwell i fyw. Yr un fyddai'r ddefod bob nos Wener, a'r un fyddai'r diweddglo.

'Gwetwch wrtho fe am y llycod. Ma'r lle'n cripad! Ma fe'n pido grindo arna i.'

Yn y man diflannodd Mrs Davies i'w thwll a chau'r drws yn glep ar ei hôl. Syllodd Cai ar ei landlord â hunanhyder unrhyw un trwy'r byd a wyddai ei fod yn cael cam. Câi bleser o'i orfodi i dorri'r garw. Dyna oedd ei hawl. Talai amdani a châi fawr ddim arall am ei rent.

'Noswath dda.' Gwenodd Taylor yn wan gan osgoi trem y dyn ifanc a thrwy hynny osgoi'r argyfwng, fel y gwnâi unrhyw wleidydd craff. Nid atebodd Cai. Gollyngodd ei afael ar y bwlyn a chamodd yn ôl i'w stafell gan adael i'r drws gau'n araf yn wyneb y dyn arall. Eisteddodd wrth ei gyfrifiadur a chliciodd ar stafell wahanol. Ymhen tua munud cododd eto, cydio yn ei lyfr rhent a'i lyfr siec a mynd at y drws. Safai Taylor yn yr un man yn union. Rhoddodd Cai y llyfr rhent iddo ynghyd â siec am y swm cywir. Arhosodd iddo gofnodi'r tâl yn y llyfryn cyn cau'r drws a'i gloi. Gwenodd yn fuddugoliaethus wrth glywed ôl traed ei landlord yn dringo'r grisiau digarped, ac aeth yn ôl at ei gwmni electronig.

*   *   *

Roedd hanner chwant ar Lilian Davies fynd ar ei ôl a gweiddi ei phrotest dros bob man, ond pan glywodd sŵn ei esgidiau'n diflannu i lawr y grisiau ac allan trwy ddrws y ffrynt, gwyddai nad oedd dim amdani ond disgwyl am wythnos arall i orffen bwrw ei bol. Roedd profiad y pum munud cynt yn pwyso'n drwm ar ei meddwl. Doedd hi ddim yn hoffi gorfod gweiddi fel'na, ond beth arall a wnâi? Roedd hi'n haeddu gwell na hyn, meddyliodd. Roedd hi'n erfyn gwell na hyn, ond wyddai hi ddim beth i'w wneud ynghylch ei phroblem. Doedd neb fel petai am wrando, hyd yn oed hwnnw y drws nesaf. Roedd e'n ddigon serchus yn ei ffordd ei hun, ond doedd ganddo ddim ots mewn gwirionedd. Doedd ganddo ddim diddordeb ynddi hi. Dim cynhesrwydd. Doedd hi ddim yn rhy ffwndrus i sylwi ei fod e'n ffaelu aros i dorri'n rhydd o'u sgyrsiau beunyddiol. Digon di-ddim oedd y rheini, beth bynnag, a fyddai ganddo byth fawr i'w ddweud. Dwy funud y dydd ar ben y grisiau ac roedd disgwyl iddi fod yn ddiolchgar. Dwy funud o glonc ddiddrwg didda heb lwyddo i gyffwrdd â dim. Roedd hi'n gyfarwydd â gwell. Mor llipa oedd dynion ifanc heddiw o'u cymharu â bechgyn ei chyfnod hi. Chafodd y rheini ddim dewis ond dod i oed yn fuan. Byw bywyd i'r ymylon a gwasgu profiadau oes i ddwy neu dair blynedd. Dyna oedd swm a sylwedd disgwyliadau'r genhedlaeth ifanc yr adeg honno. Doedd gan neb gynlluniau hir. Ddaeth miloedd ar filoedd ddim 'nôl. Ddaeth Gwyn byth 'nôl. Gwyn, ei hannwyl, annwyl frawd. Fe'i lladdwyd ar y traeth cyn hyd yn oed gyrraedd pridd Ffrainc yn iawn. Yn ugain mlwydd oed a heb ddechrau byw. Chawsai ddim cyfle i saethu'r un bwled, medden nhw. Roedd hi'n iawn i famau a gwragedd alaru, ond roedd disgwyl i chwaer fwrw iddi a dod dros y golled.

Arllwysodd wydraid arall o sieri iddi ei hun ac aeth i eistedd yn ei chadair esmwyth ym mae'r ffenest fawr lle y gallai edrych i lawr ar y stryd lydan. Roedd sbwriel dinesig yn hedfan i bob cyfeiriad; arwydd o argyfwng cymdeithas ddi-hid. Doedd yr un enaid byw i'w weld, heblaw am ddau gi yn ymladd dros weddillion carton cyrri a daflwyd i ardd y tŷ drws nesaf ddyddiau ynghynt. Yfory neu drennydd deuai dyn bach o'r Cyngor mewn lorri i sugno'r budreddi o'r stryd i grombil ei gerbyd. Châi dwylo neb eu trochi a châi cydwybod neb ei grafu. Doedd hi ddim yn arfer bod fel hyn, meddyliodd Lilian. Pan symudodd gyntaf i Jubilee Road ddeuddeg mlynedd yn ôl, a hithau'n weddw ers mis, roedd graen ar yr ardal. Fyddai hi ddim wedi dod, fel arall, er gwaethaf ei thrafferthion.

Mewn stryd fel hon ym mhen arall y ddinas y cafodd ei magu. Mewn stafell fel hon, ar y llawr cyntaf, y cafodd hi a Gwyn eu haddysg. Un ddi-Gymraeg oedd Miss Larcombe ac yn Saesneg roedd eu gwersi. Yn hynny o beth doedden nhw ddim gwahanol i blant eraill, ond dyna oedd yr unig debygrwydd, ac roedd Lilian yn ddigon gonest i gydnabod hynny. Roedd ganddyn nhw arian, hen arian, ac roedd hynny ynddo'i hun yn ddigon i'w gwahanu oddi wrth eu cyd-Gymry. Ar wahân i Miss Larcombe, Cymraeg oedd iaith pawb arall yn y tŷ, gan gynnwys y forwyn. Capten llong oedd ei thad, un o'r olaf. Doeddech chi byth yn clywed am neb yn mynd yn gapten llong y dyddiau hyn. Roedd e'n gandryll pan glywodd bod Gwyn wedi ymuno â'r fyddin. 'Morwyr yw dynon y teulu 'ma, nace rhyw blydi wehilion o filwyr. Y môr sy wedi'n cynnal ni. 'Yn ni wedi byw a marw arno fe ers cenedlaetha.' Fe gas Gwyn ei ladd rhwng y tir a'r môr a phan ddaeth y newyddion am ei farw, daeth y cyfan i ben, a chwalwyd ei rhieni. Fyddai Gwyn byth wedi gadael i Taylor rwto'i thrwyn ym maw ei lygod ffiaidd.

Cofiodd iddi addo cwrdd â Doris yn y Bute yn nes ymlaen. Dyna oedd ei hunig gwmni gwerth sôn amdano, bellach. Âi yno bob yn ail noswaith, yn amlach yn y gaeaf, i eistedd â'i chefn yn erbyn y gwresogydd. Un ddryslyd oedd Doris. Ddim chwarter call. Roedd blynyddoedd o lyncu *gin* a phethau eraill wedi gadael eu hôl ar ei meddwl, ond roedd hi'n gwmni o ryw fath, yn well na neb, ac roedd hi wedi byw. Heno, fodd bynnag, roedd Lilian wedi blino a rhwng dau feddwl p'un ai i fynd i'r Bute neu aros lle roedd hi. Roedd hi wedi colli cymaint o gwsg y noson cynt. Y llygod oedd wedi'i chadw ar ddihun. Gallai eu clywed ym mhobman, yn rhedeg yn drwm ar hyd y trawstiau rhwng y lloriau, yn crafu y tu ôl i'r forden yn y walydd. Roedd gormod o ofn arni fynd i'r gwely rhag ofn iddyn nhw redeg drosti ac felly roedd hi wedi penderfynu, o raid yn hytrach nag o wirfodd, eistedd yn ei chadair drwy'r nos. Mae'n rhaid ei bod hi wedi mynd i gysgu ryw ben, am awr neu ddwy efallai, achos chlywodd hi mo'r ferch gwallt gwyrdd yn gadael i fynd i'r gwaith. Ond chafodd hi ddim cwsg da, ac roedd y llygod yn dal i grafu, a Taylor yn dal i'w hanwybyddu. Credai weithiau ei bod hi'n talu yn ei henoed am foethau ei phlentyndod. Eto i gyd, teimlai Lilian ei bod wedi talu drosodd a thro am y golud hwnnw.

*   *   *

croeso i'r gymuned ryngwladol, ynyswr! wyt ti am dynnu sgwrs? wyt ti am sibrwd?

ynyswr: neges i angel. wyt ti yno o hyd? wyt ti am sgwrsio eto?

angel: hai ynyswr. diolch am ddod 'nôl. roeddwn i'n gwbod 'set ti'n gwneud

ynyswr: sut roeddet ti'n gwbod?

angel: oherwydd iti ddiflannu mor sydyn y tro o'r blaen

ynyswr: ond roedd yn rhaid i fi fynd

angel: ti ddewisodd fynd a ti ddewisodd ddod 'nôl. gawn ni siarad am dy gastell?

ynyswr: does gyda fi ddim castell. does gyda fi ddim tŷ

angel: ble ti'n byw, felly?

73

ynyswr: mewn cachdy mewn dinas fach

angel: pam dwedest ti gelwydd?

ynyswr: am ei bod hi'n haws byw celwydd yng nghymru. mae'n rhan o'n bod

angel: pam?

ynyswr: gan fod pam yn bod a bod yn pallu

angel: dwi ddim yn deall

ynyswr: siaradwn eto. hwyl

angel: paid â mynd! ynyswr, paid â mynd. dwi angen siarad! r'yn ni yn yr un gymuned!

Pwysodd Cai yn ôl yn ei gadair i ddwysystyried y gair olaf. Y tu allan ar y landin gallai glywed lleisiau ei gymdogion o'r newydd. Roedd mwy o brysurdeb nag arfer, meddyliodd. Mwy o fynd a dod. Roedd y ddwy'n chwerthin ac yn sgwrsio. Mrs Davies a'r ferch gwallt gwyrdd. Doedd Cai ddim yn gwybod ei henw am nad oedd neb wedi meddwl sôn wrtho, a doedd yntau ddim wedi meddwl holi. Mae'n siŵr bod Mrs Davies wedi hen holi'i pherfedd, ond un ddrwg oedd honno am gofio manylion, ac felly ni wyddai Cai'r enw. Ni wyddai ddim amdani heblaw bod ganddi hoffter o wyrdd. Hoffter o fath gwahanol oedd gan Mrs Davies.

'Chi'n werth y byd, cariad. Chwel, wy'n ffilu cered yn bell. Gwetwch wrth Mr Anand taw i fi ma fe. 'Wrwch, 'ma botel wag i chi. O, a gwetwch wrtho fe am gofio'i llanw ddi i'r top. Yr un melys, cariad. 'Na'r un wy'n moyn. Wy'n ffilu llyncu'r stwff sych sy 'da fe. Ceso i ddicon o'r stwff sych ar ôl prioti!'

Gwenodd Cai wrth glywed y cais cyfarwydd ac aeth yn ôl at ei sgwrs yntau.

angel: wyt ti yno, ynyswr? dwi angen siarad â ti

ynyswr: siarad am beth? dwyt ti ddim yn fy nabod i

angel: dwi'n dy nabod di cystal â neb. does neb yn nabod neb. dim ond gweld ein gilydd ydyn ni. heb gyffwrdd. heb grafu'r wyneb

ynyswr: licswn i dy weld di

angel: fe gei di

ynyswr: oes gyda ti we-gam?

angel: oes. oes un gyda ti?

ynyswr: oes

angel: dwi angen dy weld. dwi'n unig, ynyswr, a does neb yn deall. mae pawb yn chwerthin ar fy mhen

ynyswr: pwy sy'n chwerthin? pwy?

angel: y nhw. maen nhw wastad yn chwerthin. dwi'n 'u clywed nhw drwy'r wal. yn chwerthin ac yn chwerthin

ynyswr: pwy ydyn nhw?

angel: helô, ynyswr! rwy'n gallu dy weld! rwyt ti mor olygus!

ynyswr: ac rwyt ti mor hardd! ble wyt ti?

angel: yn fy nghastell

ynyswr: a ble maen nhw? ydyn nhw'n chwerthin nawr? pam rwyt ti'n cydio mewn dryll?

$$* \qquad * \qquad *$$

Cydiodd Lilian Davies yn y botel sieri o siop Mr Anand a diolchodd i'r ferch wallt gwyrdd am ei chymwynas. Caeodd y drws yn frysiog cyn cerdded yn simsan draw at y ffenest fawr ac arllwys gwydraid iddi ei hun. Arferai deimlo'n euog, ond peidiodd y teimladau hynny flynyddoedd yn ôl. Gwelai'n gliriach nawr. Câi wneud fel y mynnai y tu ôl i ddrysau caeedig. Roedd gwaeth yn digwydd y tu ôl i ddrysau rhai, meddyliodd. Gwyddai hynny o brofiad personol. Ond wyddai neb arall am ei phrofiad. Roedd e'n rhy gyfrwys ac yn hen law ar gelu'r gwir. Elwyn Davies, Ynad Heddwch. Un o golofnau'r achos. Ond fu fawr o heddwch ar eu haelwyd nhw, dim ond cnoi di-baid nes bod dim ar ôl. Dim hyder. Dim pleser. Dim arian. Dim byd.

Edrychodd Lilian o gwmpas ei stafell, ar y trugareddau yn ei byd, a sychodd y deigryn oedd wedi cronni yng nghornel ei llygad.

Byddai plant wedi gwneud gwahaniaeth, ond doedd hynny ddim i fod. Roedd e'n ffaelu cynhyrchu digon o had, ond hi gafodd y bai. Hi oedd yn cael y bai am bopeth. A thros y blynyddoedd sychodd y môr o gariad a daeth difaterwch yn ei le. Llyncodd Lilian weddillion y sieri yng ngwaelod y gwydryn a'i lenwi drachefn. Cyn hir byddai'r crafu'n dechrau eto y tu ôl i'r walydd a'r sŵn rhedeg ar hyd y trawstiau. Daliodd ei phen yn ei dwylo. Yna cododd, tynnodd y llenni ar draws y ffenest fawr a throi'r sain ar y radio nes ei fod yn llenwi'r stafell.

*   *   *

Bu bron i Cai guro ar ei drws i gwyno, ond bodlonodd ar bwnio'n ofer ar y pared a wahanai'r ddwy stafell. O ddewis, roedd yn well ganddo'r sŵn na gorfod mynd ati. Byddai yno am hydoedd yn gwrando ar ei pharablu diddiwedd. Hen ast hunanol oedd hi weithiau. Hen fenyw yn chwilio am sylw. Roedd ganddo bethau gwell i'w gwneud. Roedd yn poeni am ei ffrind. Yn ei feddwl ni allai weld dim ond y dryll yn ei llaw. Brysiodd yn ôl at ei gyfrifiadur, ond erbyn iddo gyrraedd roedd y llun wedi mynd ac roedd y stafell ar y sgrîn yn wag.

ynyswr: neges i angel. wyt ti yno o hyd?
ynyswr: mae'n rhaid i ni siarad
ynyswr: paid â gwrando ar eu chwerthin
ynyswr: paid â gwneud dim byd ffôl!

Cododd Cai o'i gadair a rhoddodd ei ddwylo ar ei ben. Brasgamodd ar draws llawr moel ei stafell a phwniodd ei dalcen â'i law. Funud ynghynt gwelsai lun o ferch â dryll yn ei llaw. Rhedodd yn ôl at y peiriant ar y ford. Cliciodd y llygoden yn orffwyll. Crynodd y sgrîn o'i flaen. Roedd y sŵn trwy'r pared yn llenwi ei ben. Cliciodd y llygoden eto, a daeth y geiriau o'r newydd.

angel : maen nhw'n chwerthin o hyd
ynyswr: paid â gwrando. ble mae'r dryll?
angel: yn fy llaw. edrych. wyt ti'n gallu gweld?
ynyswr: dwi'n gallu dy weld
angel: helô, ynyswr. edrych ar y dryll. paid â bod mor syn. dwi am ddiffodd y chwerthin
ynyswr: paid! sut?
angel: fel hyn

Pan agorodd Cai ei lygaid eto gwelodd y gwaed yn llifo'n araf ar hyd y pared y tu ôl i'w chorff. Llonydd oedd popeth arall yn y stafell.

Fe'i dihunwyd gan sŵn curo gwyllt ar ddrws ei stafell a llais yn gweiddi. Agorodd ei lygaid yn araf. Roedd goleuni cynnar bore arall yn ymhidlo trwy'r llenni llwm. Fel sy'n digwydd yn aml pan mae rhywun yn cael ei ddeffro o ganol trwmgwsg, cymerodd eiliadau lawer i ddod ato'i hun. Cododd ei ben yn boenus i syllu ar y cyfrifiadur ar y ford o'i flaen. Roedd y llun ar y sgrîn wedi hen ddiffodd ei hun a'r unig arwydd o fywyd oedd yr hymian cyfarwydd, cyson yng nghrombil y peiriant. Ar y landin y tu allan aeth y gweiddi'n uwch ac yn fwy penodol. Adnabu'r llais. Adnabu'r panig yn y llais. Rhythodd ar y sgrîn ddu. Roedd hanner braw a hanner cof am rywbeth ofnadwy yn ymgiprys yn ei ben. Buasai'n dyst i rywbeth erchyll, a methu â gwneud dim yn ei gylch. Curo gwyllt eto ar y drws, ac ymlwybrodd Cai yn simsan i'w agor. Yno, o'i flaen, roedd y ferch wallt gwyrdd. Gwelodd ei cheg yn symud, ond chlywodd e ddim byd. Dilynodd ei gymdoges yn reddfol ar hyd y landin a thrwy'r drws agored i'r stafell nesa. Yno, yn y golau gwan, gwelodd Mrs Davies yn eistedd mewn cadair, ei gên ar ei hysgwydd a'i llygaid ynghau. Wrth ei hymyl, ar stôl fach, roedd potel sieri wag a rhyw hanner dwsin o dabledi gwyn.

Lle Bach yn yr Haul

(Ganol prynhawn, ac mae Lynwen yn eistedd ar stôl uchel y tu ôl i far llwm yr olwg.)

'Lance!' wetas i, *'Think big!'* Wel, ma'n rhaid iti yn y byd hyn on'd o's e? Shgwl a fi. Le fydden i heddi 'sen i wedi dala nôl ar hyd yr amser a dewish pido dilyn 'y ngreddf? Na, ma'n rhaid bod 'da ti ryw gôl miwn bywyd, rwpath i ddishgwl mla'n ato fe. Beth yw'r gair . . . 'uchelgais'. 'Na'r unig waniath rhynt byw bywyd llawn ac ishta rownd miwn *waiting room* am hanner can mlynadd yn aros am alwad wrtho'r Meddyg Mawr! Fel'na wy'n gweld hi ta beth. A sdim tamad o ots 'da fi beth yw'r uchelgais hwnnw cy't â bod e ddim yn damshgal ar ddynon erill. Achos wy ddim yn lico gweld neb yn ca'l 'i nafu. Sdim hawl 'da neb roi lo's i rywun arall. Ma Mam wastod yn gweud, 'Yn wyn ne'n ddu, yn ddyn ne'n fenyw, Cwmrâg ne Sisnag, 'yn ni gyd yn rhan o deulu Duw.' Mae'n iawn 'ed. Cofia, wy ddim yn lico gweld neb yn colli mas chwaith. Yn colli cyfla achos bod gormodd o ofan arnyn nhw. Ofan mentro. Ofan y bobol mawr. Fel'na ma Mam a Dad. Pobol annwl. Rhy sofft. Na, sdim byd gwa'th na colli cyfla, achos fel arfer, gei di byth mo'r cyfla 'na 'to.

C'mer rywun fel fi. Nawr, ta pryd wy 'di ca'l cyfla i wella'n hunan, i ddysgu crefft newydd, i drafaelu – sdim ots beth – bob tro ma rwpath wedi cynnig 'i hunan, wy 'di cytsio yndo fe â 'nwy law, ac wy 'rio'd wedi difaru dim. (*Saib*) Wel, o'dd 'na unwa'th. Ond camsyniad o'dd hwnna, camsyniad mawr. Ond ma fe yn y gorffennol nawr, y tu cefen i fi.

(Saib. Yn cael llymaid o'r gin. Yn adennill ei hunan-feddiant rywfaint ac yn troi'n fwy herfeiddiol.)

Ma pobun yn neud camsyniad rywbryd. Ma hawl 'da ni neud, 'os bosib. Sneb yn berffeth, a ma rheina sy'n meddwl bod nhw'n berffeth, wel, nhw yw'r gwitha. Pregethwyr. Athrawon. Y set 'na, sy wedi hwpo'u hunin i'r top. Weles i ddicon o reina 'nôl yn Cwm Gwina. Na, ma pobun yn hiddu cyfla arall.

(*Troi*) O, chi'n mynd! Neis i weld chi 'to. Pidwch â gatel iddi fynd mor hir y tro nesa, cofiwch. Hwyl i chi bois.

Mae'n neis gweld yr hen wynepa. Ma nhw'n ffilu catw draw. Ma nhw'n dwlu dod 'ma. Wel ma nhw'n ca'l shwt groeso 'da fi. Croeso Cwmrâg. Ma Lynwen yn gwpod shwt i neud i ddyn dimlo'n gyffwrtus. Wy'n diall dynon. 'Co Lance. Os o's rhywun yn diall hwnna, fi yw e. 'Yn ni wedi bod 'da'n giddyl nawr ers dros bymthag mlynadd. Cofia, 'yn ni'n ca'l ein *ups and downs,* ys gwetan nhw, ond 'yn ni wedi dod drw' bopath. Dyna ti'r amser gollon ni'r clwb lan yn dre – reit ynghanol Cardydd, cofia. O'n ni 'da'r crachach amser 'ny! Ond ciad lawr nath e – mynd i'r wal – fel sawl busnas arall ar y pryd. O'dd dim bai ar neb. Fel'na ma hi witha. Ma'r pethach 'ma'n dicwdd. Ond wetas i wrth 'yn hunan, 'Lynwen,' wetas i, 'daw haul ar fryn.' Ac fe dda'th, myn yffarn i! Lwmpyn mawr o

80

haul, a 'na le 'yn ni nawr, yn catw tafarn y Rising Sun! Ti'n gorffod werthin! Ond o'dd Lance jest â torri'i galon pan gollon ni'r clwb. *'Lance!'* wetas i, *'Life goes on. These doors may have closed, but another one'll open. You mark my words.'* Ac fe na'th. T'wel, ma Lance yn browd. Wastod wedi bod. Ac o'dd meddwl am symud i'r *docks* jest â' ladd e. Nawr, 'na'r gwaniath rhynt Lance a fi. Pan geson ni'r siawns i ritag y Rising Sun fe jwmpes i. 'Na pryd wetes i wrtho fe, *'Think big! It'll all come right in the end.'* Da'th ei ateb fel llychetan. *'Think big? Think big? It's the pissin' docks we're goin' to, Lynwen!'* Wel, ta beth, dod nethon ni, ac 'yn ni wedi bod 'ma ers blwyddyn gyfan nawr.

*   *   *

Wy'n dwlu ar Gardydd! Allen i byth â byw yn unman arall. Ma angen rwla mawr ar rywun fel fi. Rwla le alla i fyw fel wy'n moyn. Wy'n siwto Cardydd a ma Cardydd yn siwto fi. Wy wedi bod 'ma ers ucan mlynadd, jest – heblaw am flwyddyn yn Llunden.

(*Saib*)

Y peth gora netho i 'rio'd o'dd gatel Cwm Gwina a dod fan hyn. A ma shwt *buzz* i'r lle y dyddia 'ma. Ti'n gallu timlo fe'n bobman. Ma ryw siop newydd neu glwb yn acor bob dydd jest â bod. Ma fe'n hala colled ar Lance. Ma fe'n ffilu'n deg â derbyn y peth. Ma fe'n gweld y bobol newydd le o'dd e'n arfer bod. Ond pob lwc iddyn nhw weta i. Wy'n trio gweu'tho fe fod reswm dros bopath. Sdim pwynt dishgwl 'nôl ne ti'n siwr o weld rwpath ti ddim moyn. Y peth yw, 'yn ni miwn *prime site* fan hyn, rynt yr holl adeiladu sy'n dicwdd yn y Bae, a'r Cynulliad lan yr hewl. *'Just give 'em time, Lance. They'll be queuin' up outside before long. You mark my words.'* Ma isha cot o baent ar y lle, wy ddim yn gweud llai, ond mater bach yw hwnna. Na, bydd hi fel yr hen amser 'to rownd ffor' hyn cyn bo hir. Watsh di beth wy'n gweud.

(Yn cynnau sigarét.)

A 'na amser o'dd hwnna. Gwyllt, paid â son! Yn ddwy ar ucen o'd ac o'dd dim stop arna i. Wna i fyth anghofio Janis yn ffono i weud bod jobyn yn mynd yn y BBC. Tempo am dri mish.

'Ti'n moyn trio, Lynwen? Ma nhw'n whilo am rywun sy'n gallu dechra'n syth.'

Moyn trio! Arglwydd annwl, dalas i'r bỳs cynta mas o'r Cwm ac wy heb ddishgwl nôl 'ddar 'ny. Dod i fyw 'da Janis netho i, yn y fflat yn Claude Road. Nace bo ni 'na lot. Mas sbo dou o'r gloch bob nos, pedwar witha. Y ddwy o ni. Parti fan hyn, parti fan 'co. O'dd pobol Cwmrâg yn byw bob yn ail dŷ, jest â bod. Bois y clwb rygbi drws nesa ond un, hanner cast *Pobol y Cwm* gro's yr hewl. A ffitas i miwn o'r dechra. Un fel'na wy. Ta le wy'n mynd wy'n towlu'n hunan miwn i bethach. Wel ma'n raid iti on'd o's e? O'n i ddim wedi bod 'na fish pan geso i bart yn *Pobol y Cwm*. Yn ishta bwys y bar yn y Deri. Wy'n cofio nhw'n gweud, 'Lynwen, ti'n gwmws beth 'yn ni'n moyn. Ti mor naturiol.' O'dd Mam yn ffilu diall pam taw dim ond miwn un bennod o'n i a gorffes i weu'thi, 'Mam fach, fel'na ma'r byd teledu. Dechra yw hwn. Ma fe'n brofiad da. Fe ddaw cyfla 'to.' Wy heb fod nôl ers y

82

tro 'ny, ond ma nhw'n gwpod le i ffindo fi os 'yn nhw'n moyn.

Sefas i 'da'r BBC am flwyddyn. O'n nhw'n ffilu neud hepddo i. Ta le wy 'di gwitho, wy wastod wedi roi cant y cant. 'Na i fyth altro. Ond joias i bob munad, a ceson ni lot o sbort. Fel y tro 'ny pan ethon ni lan i Lunden i fod yn ran o gynulleidfa *Top of the Pops*, a mla'n weti 'ny i ryw barti yn Chiswick. (*Saib*)

'Na pryd cwrddes i â Jake . . .'

(Yfed dracht arall o gin.)

*   *   *

Wy byth yn gweld nhw nawr, yr hen set. Wedi setlo lawr ma lot o nhw. *Mortgage* a plant. Whare teg, ma pobun yn ei ffortis erbyn hyn. Ond 'se'n neis gweld nhw nawr ac yn y man. Ma un ne' ddou'n galw o hyd. 'Co reina a'th drw'r drws nawr jest. Ma nhw'n ffilu catw draw. Sdim o Lance yn rhy stryc arnyn nhw. Ma fe'n timlo bo nhw'n oeradd 'da fe braidd, bo nhw'n dishgwl lawr arno fe. Wy'n gweu'tho fe i bido bod mor dwp, ond ti'n ffilu newid e. Siwrna ma fe'n ca'l rwpath yn ei glop, 'na fe. Ma fe ishta mul. Wy'n dal i gwrdd â Janis, wrth gwrs, er sdim o honna'n galw mor amal erbyn hyn. Ma hi'n briod nawr ac yn byw ym Mhenarth. Priotas ffantastig! Paid â wilia. O'dd pobun 'na o'r hen set. Ma steil 'da Janis. Wastod wedi bod. Geson nhw'r brecwast miwn gwesty mawr mas yn y Fro, bwys Ben-bont. O'n i'n moyn iddyn nhw ga'l y parti yn y nos yng nghlwb Lance. Anrheg priotas wrthon ni'n dou, ond o'dd Lance ddim yn bylon roi e am ddim. Ma fe'n gallu bod yn od fel'na. O'n i jest â torri 'nghalon.

Ac ar ôl popath o'dd Janis wedi neud drosto i. Wy byth wedi madda iddo fe. Ta beth, dyma Janis a Tecwyn – 'na'i gŵr – dyma nhw'n penderfynu bwco stafell fawr yn yr un gwesty a cynnal y parti man'na. O'n i'n becso am ddyddia bo nhw wedi ca'l siom. Wetws Janis ddim byd wrtha i. Dyw hi ddim yn un i ddicio. Sdim sbeit yn perthyn iddi, ond o'n i'n gwpod bod hi'n synhwyro bod rwpath o'i le. Do's gyta hi ddim lot o feddwl o Lance.

*　　　*　　　*

Wy'n ffilu diall witha pam bo fi wedi aros 'da fe. Ma Janis wedi gweu'tho i ddicon bo fi'n hiddu gwell. Ond 'na fe, ma 'na frân i bob brân yn rwla, meddan nhw, a Lance yw 'n frân i. Ond 'yn ni'n diall yn gilydd, a 'na beth sy'n bwysig. Ma fe bymthag mlynadd yn henach na fi – un i bob blwyddyn 'yn ni wedi bod 'da'n gilydd.

O'n i'n hapus iawn ar y dechra. Nace bo fi'n anhapus nawr, ond sdim o fe 'run peth. Ma Lance wedi newid. Ma bywyd wedi gatel 'i ôl arno fe. Ma fe heb ga'l lot o lwc 'da'i fusnas ar hyd y blynydda. Ond buws e'n biwr iawn i fi pan o'n i ar 'y nhin.

Newydd ddod 'nôl o Lunden o'n i. Heb unman i fyw a heb glincen yn 'y mhocad. O'dd 'y myd i wedi ca'l 'i droi ar 'i ben. Wna i fyth anghofio'r diwrnod 'na. Mawrth y degfed. Diwrnod gwitha 'mywyd. (*Saib*) O'dd pethach wedi bod mor dda rhynt Jake a fi. O'n i'n meddwl y byd ohono fe. Yn 'i addoli fe. O'r dechra un pan gwrddon ni yn y parti rhyfeddol 'na yn Chiswick. O'n i'n dwlu ar ei enw – Jake. Wy wastod wedi ca'l 'y nenu 'da enw cryf. Ma fe'n gweud shwt gymint abythdu person. A'th y parti

84

'mla'n drw'r nos ac ar 'i ddiwedd e penderfynas i sefyll 'da fe yn Llunden a pido mynd 'nôl ar y train 'da Janis. Am flwyddyn gyfan ceson ni amser da. O'dd hi fel breuddwyd. O'dd Jake yn garedig ac yn ddoniol, ac o'dd y secs yn wych. Ond ar Fawrth y cynta, ia, Dydd Gŵyl Dewi, dyma'r freuddwyd yn torri'n deilchion mân. Mae'n od shwt ma pethach mawr bywyd yn tueddu i ddicwdd acha dyddiada mawr. Ti byth yn ca'l anghofio nhw fel'na. Ma nhw'n plago rhywun am weddill 'i o's. Ia, Dydd Gŵyl Dewi Sant o'dd hi pan ffindas i bo fi'n feichiog, bo fi'n erfyn babi Jake. O'n i ddim yn gwpod shwt i weu'tho fe, shwt bydde fe'n ymateb. O'n i ddim yn gwpod shwt o'n i'n timlo'n hunan hyd yn o'd. Ond ffindas i'r geira, a darllenas i 'i wynab e. A miwn tu fiwn o'n i'n gwpod yn syth. Dda'th Jake ddim sha thre y noswath 'ny. Na dranno'th. Arhosas i amdano fe, ond dda'th e byth nôl. Ar y degfed o Fawrth ceras i o'r clinig yn Harley Street a cês yn 'yn llaw, a dalas i fŷs 'nôl i Gardydd.

(Yn diffodd sigarét arall.)

Wetas i ddim byd wrth neb – wrth Janis, wrth Mam a Dad, na Lance. Wy 'rio'd wedi sôn gair. O'n i'n dost ac yn wan ac o'dd 'da fi ddim unman i fynd. A 'na le o'n i'n sefyll ar y pafin glyb yn City Road, a'r glaw mân yn cwmpo'n dyner ar 'y ngwallt, pan a'th e hibo yn 'i BMW du. Nabyddes i fe ar unwath. O'n i wedi'i weld e sawl gwaith o'r bla'n yn 'i glwb, ond prin bod ni wedi siarad. Stopws y car a clywas 'i laish. *'It's Lynwen innit? Long time no see! You're looking well! Wanna lift?'*

*   *   *

Symutas i miwn 'da Lance y prynhawn hwnnw. O'dd 'da fe fflat fawr ym Mhenylan, a menyw'n dod i gna' a smwddo iddo fe bob wthnos. Ond pan ethon ni mas o'r car a dechra cered at y fflat da'th rhyw fenyw ifanc i'r drws, ac o'dd hi'n amlwg nag o'dd honna'n gwpod beth i neud â ha'rn smwddo. Erbyn y bore o'dd hi wedi mynd. O'dd hi'n mynd ta beth, medde Lance, ac ar ôl gweud 'na, soniws e ddim gair arall amdani. A holas i ddim. O'dd y dyddia nesa fel hunlle. O'dd Lance yn gallu gweld bod rwpath yn bod, ond holws e ddim. O'dd e'n ŵr bonheddig, yn tendo ac yn carco. O'dd e'n ffilu neud dicon drosto i. Geso i lonydd 'da fe, ac yn slo' fach 'nes i wella. Trows y dyddia'n fishodd, ac erbyn diwedd yr haf o'n i 'nôl!

*   *   *

'Gatwi di byth gorcyn dan ddŵr, Lynwen fach.' 'Na beth o'dd Dad wastod yn gweud pan o'n i'n fach. A ma fe'n iawn 'ed. Achos fydda i byth ar y gwilod yn hir. Fel'na wy 'di bod erio'd. O fiwn cwpwl o fishodd fi o'dd yn ritag y clwb. Ac o'n i'n falch o ga'l neud. O'dd angen *project* arna i, ac o'dd angen rywun fel fi ar y clwb. Mae'n od shwt ma pethach yn troi mas yn y diwedd. Ma drws newydd wastod yn acor miwn pryd.

(Yn sefyll ac yn gwacáu soser lwch cyn ei sychu â lliain.)

So twlas i'n hunan miwn i'n job ac o'dd Lance yn bylon i fi neud. O'dd e'n gwpod fod e'n gallu trwsto fi, bo fi'n ddicon proffesiynol i ddishgwl ar ôl yr ochr 'na, yr ochr ymarferol. Ac o'dd e'n siwto'r ddou o ni ar y pryd. O'dd y lle'n rhy fawr i un, ac o'dd Lance wastod mor fishi 'da'r cleients, yn delo 'da hwn, yn taro bargen 'da'r nall. Dynon a menwod. O'dd e wastod 'na wrth y bar yn dala slac yn dynn. Ond o'dd gweld yndo fe, ti'n gwpod. O'dd 'i feddwl e wastod un cam ar y bla'n. Fel'na ma dynon busnes, a 'na beth yw Lance bob blewyn. Sdim o fe'n hapus os nag yw e'n plano rwpath. O'n i ddim yn ca'l gwpod yr hanner, ond o'n i ddim moyn. O'n i lot rhy fishi yn dishgwl ar ôl pethach erill. Serfo, ne neud yn siwr bod y lle'n lân. Fel'na ma pob tîm da yn gwitho, ac o'dd Lance a fi'n dîm da iawn. O'dd neb yn gallu twtsho ni. O'n ni fel brenin a brenhines. 'Na beth o'n nhw'n arfer galw ni. Wy ddim yn cretu bo fi 'rio'd wedi bod yn hapusach nag o'n i yn ystod yr wyth mlynadd 'ny. Pan o'dd y clwb 'da ni. O'n i'n tynnu nhw miwn. Yr hen set. Janis – o'dd hi ddim 'da Tecwyn bryt 'ynny – Aron a Delyth, Siôn Shir Fôn, Nia a Phil. Bois y clwb rygbi. Pan o'dd matsh mawr mla'n – Cymru yn erbyn Lloegr, neu'r Gwyddelod – o'dd y clwb yn tasgu. Bois y wlad. Gogs. Rheina o gatre. Aton ni o'n nhw'n arfer dod achos o'n nhw'n gwpod gelen nhw amser da. Wy wastod wedi cretu miwn rhoi croeso cynnes. Croeso Cwmrâg. O'dd e'n hala colled ar Lance i weld nhw'n dod ata i a neud shwt ffŷs ohono i. Fyddet ti ddim yn gweld lliw 'i din e erbyn diwedd y noson, ac os o't ti, bydde'r cro'n ar 'i dalcen e! O'dd Janis yn gweld yn nêt shwt o'dd e. O'dd hi wastod yn gweud fod e'n c'meryd mantas. Ond o'dd hi'n ffilu gweld 'i ochor arall e.

(Yn cydio mewn gwydrau brwnt a mynd â nhw i ochr arall y bar.)

Achos ma 'na o leia un ochor arall iddo fe. Yr ochor dywyll. A welas i ddicon ar honna pan gollon ni'r clwb. A'th e o'n gafel ni fel'na. Heb rybudd. Hyd y dydd heddi wy'n ffilu'n deg â diall beth a'th o'i le. (*Saib*) O'dd e'n ddiwadd y byd ar Lance, ti'n gwpod. Gas e shwt gnoc. Am dri mish welas i fe'n mynd yn ish ac yn ish. Am dri mish welws e enaid o neb ond fi. Ond cofias i fel o'n i wedi bod ar ôl dod 'nôl o Lunden, a gadewas lonydd iddo fe er mwyn iddo ddod drosto fe yn 'i ffordd a'i amser 'i hunan. Ma amser yn beth od on'd yw e? Ma fe'n gallu gwella'r clwy dyfna, hyd yn o'd yn rywun fel Lance. Achos dod 'nôl na'th e. A phan dda'th e, o'n i 'na, yn aros amdano fe.

Ymhen mish arall ni o'dd yn catw'r Rising Sun. A fan hyn 'yn ni wedi bod 'ddar 'ny. Gallen ni fod miwn gwa'th lle. Ma 'na botensial mawr 'ma, ond nace fel'na ma Lance yn gweld hi. Smo'i galon yndo fe. Ar ôl bod ar y top, sdim byd yn mynd i fod yn ddicon da, sbo. Ond galla'r lle 'ma fod yn *goldmine* 'sen ni'n barod i hala arno fe. Wy'n trio gweu'tho fe, ond 'na gyd sy ar ei feddwl y dyddia 'ma yw'r clwb ym Malaga. O'dd e'n ffilu'n deg â gweld lot o haul yn y Rising Sun byth, so ethon ni am bythewnos i Malaga gwpwl o wthnosa 'nôl, i flasu'r *real thing,* ys gwetws Lance. Cofia, geson ni amser ffantastig. Joion ni bob munad. Hedfan o Gardydd a sefyll miwn *four star hotel*. Ti'n gwpod fel ma rhai pethach fod i ddicwdd. Wel, fel'na o'dd Malaga. Ac ers dod sha thre ma Lance wedi bod fel ci â dou gwt.

O'n i ddim wedi bod mas 'na bum munad pan gwrddon ni â Mandy a Dave. 'Na ti bâr hyfryd. Fe glicon ni o'r dechra. A 'na beth od, catw tafarn ma nhw 'ed. Dou o

Huddersfield 'yn nhw, ond ma hi Mandy jest â marw isha symud i fyw i Malaga. Mae'n dwlu ar yr haul, medda hi. Galla i gretu 'ny hefyd. Ma hi'n ifancach na fe. Dipyn, 'sen i'n gweud. Ond ma nhw'n siwto'i gilydd, serch 'ny. Sdim plant 'da nhw chwaith. Ma nhw'n depyg iawn i Lance a fi ar un olwg, ond sdim llawer o sgwrs rhyntyn nhw. Wy'n cretu bo nhw'n falch bo ni yn yr un hotel. Dethon ni mla'n yn grêt. Un fel'na wy. Siarada i 'da rywun. Y syndod i fi o'dd gweld Lance mor siaradus. Nath e gwnnu 'nghalon i.

Ta beth, ar y dydd Iau ola cyn dod sha thre dyma hi, Mandy, a Lance yn gweud bo nhw'n mynd am dro ar hyd y ffrynt. So bant â nhw a gatel Dave a fi yn gorwedd wrth ochor y pwll nofio. O'dd well 'da fi ga'l *top up* bach o haul munad ola, achos o'n i'n gatel yn y bora i ddod sha thre. Ta beth, 'na le o'n i wrth ochor y pwll pan dda'th y ddou o nhw 'nôl ymhen rhyw ddwyawr. Ritag aton ni fel pethach diened, yn llawn ffwdan am ryw glwb o'dd ar werth lawr ar y cei, a bo nhw wedi cwmpo miwn cariad â'r lle. A'th Lance mla'n a mla'n abythdu fe. O'dd e'n fuddsoddiad ffantastig, yn siawns gelen ni mo'i thepyg 'to, ac yn fenter fusnes alla newid bywyda'r pedwar o ni. O'dd Dave a fi'n gegrwth. Pan a'th Lance a fi 'nôl i'r stafell yn nes 'mla'n, o'n i'n ffilu ciad 'i ben e. *'Lynwen, you're the one who's always tellin' me to think big. So now it's time for you to bloody well think big!'*

O'dd 'da fi ddim ateb. Beth allen i weud?

Wel, ma'n dishgwl fel 'se fe'n mynd i ga'l 'i ffordd, ta beth. Bythewnos 'nôl a'th e lan i Huddersfield i sefyll 'da Mandy a Dave. O'dd isha mynd i weld dynon y banc. Ma fe wedi gwitho popath mas. Faint gelen ni am y lle 'ma.

Faint gelen nhw am 'u lle nhw yn Huddersfield. Sefas i fan hyn. Wy'n catw mas o bethach fel'na. Lance yw'r dyn busnas. Bydd 'da fi ddicon i' neud pan awn ni mas 'na. Ta beth, ffonws e dydd Llun dwetha o Malaga, o Malaga cofia, i weud fod e a Mandy wedi gorffod mynd mas 'na i weld y clwb 'to. O'dd isha gweld cyfreithwyr a siarad â'r bobol sy'n gwerthu, neu rwpath. So ma'n rhaid bo popath wedi mynd yn dda yn Huddersfield. Ond jobyn da fod Lance wedi ffono, achos y noswath 'ny, pwy dda'th ar y ffôn ond Dave, yn holi abythdu Mandy. A o'dd hi fan hyn 'da ni? Wel erbyn hyn, o'dd Lance a hi wedi bod mas 'na ers tridia ac o'dd e heb glywad gair wrthi. O'n i'n falch bo fi'n gallu gweu'tho fe bod nhw'n saff.

Bydd hi'n od gatel Cardydd a byw miwn lle sy ddim yn ca'l tywydd. Ma tam' bach o ofan arna i, ond wy'n dechra dishgwl mla'n 'ed. Ti byth yn rhy hen i newid. 'Na beth ma Mam wastod yn gweud. A dyw Lynwen ddim yn un i osgoi sialens. Ma'r clwb newydd yn neis 'i wala. Ma isha hala arno fe, fel y lle 'ma, ond o leia bydd pedwar o ni nawr i rannu'r gost. Wy 'di bo'n meddwl am enwa, ac wy'n cretu bo fi wedi taro ar jest y peth. Wy'n ffilu aros i weu'tho Lance. Galla i weld e nawr miwn gola neon coch – Tiger Bay – a bydd y croeso'n un Cwmrâg!

Gadael ei Hôl

Agorodd Gareth ddrws ei VW Golf du a chamu'n ddiamynedd i ganol y ffordd. Fflachiodd ei lygaid ar hyd y ceir o'i flaen. Roedd y rhes yn ddiddiwedd a doedd dim arwydd bod pethau'n mynd i wella am sbel. Ffycin typical, meddyliodd. O'r holl gaeau yn yr ardal i godi eu basdad pafiliwn, pam dewis yr un yma, filltir o'i gartref? Y peth olaf roedd ei angen arno ar ôl diwrnod o waith oedd gorfod aros mewn ciw o draffig ar brynhawn llwydaidd ym mis Awst, ei fola'n rwmlan a'i bledren yn llawn. Roedd gwir angen pisiad arno a phoenai na allai ddal. Roedden nhw wedi cael rhybudd wythnosau 'nôl y byddai'n mynd yn brysur ar adegau, ond doedd e ddim wedi rhag-weld hyn, chwaith. Roedd siŵr o fod hanner cant o geir o'i flaen heb sôn am y niferoedd y tu hwnt i'r troad. Pwysodd â'i ddau benelin yn erbyn y drws agored ac ildio'n anfodlon i'r anochel.

Doedd e erioed wedi bod mewn eisteddfod, heblaw am rai'r ysgol pan oedd e'n grwt, a doedd y rheini ddim yn cyfrif. Unwaith erioed y cawsai gymryd rhan, ac roedd hynny wedi bod yn ddigon. Rhyw gân werin am Owain Glyndŵr yn sefyll ar fryncyn ym Meirionnydd, neu rywbeth. Roedd e wedi dysgu'r geiriau i gyd yn selog ac am ddwy funud o wallgofrwydd yn ystod ei ymarfer olaf, gartref, y tu ôl i ddrysau caeedig ac o olwg pawb, roedd e wedi credu bod ganddo eithaf siawns o ennill. Pan ddaeth ei awr fawr, camodd i ganol y llwyfan gan wneud ei orau glas i osgoi llygaid ei ffrindiau a oedd wedi torri ar draddodiad cysegredig a dod i eistedd yn rhes flaen y neuadd yn unswydd er mwyn tynnu'r *piss*. Aeth drwy'r pennill cyntaf yn ddiogel ond pan ddaeth i stop hanner ffordd drwy'r unawd a ffrwydro chwerthin wrth weld ysgwyddau rhesaid o fechgyn tair ar ddeg oed yn symud lan a lawr, cafodd orchymyn gan y dirprwy brifathro i fynd i eistedd ar unwaith at ei gyd-fwncïod yn y ffrynt ac i beidio â mentro dweud gair arall o'i geg. A dyna fu hyd a lled ei yrfa eisteddfodol. Ar ôl hynny collodd ddiddordeb, fel cymaint o ddisgyblion eraill canol yr ysgol, ac erbyn y flwyddyn ganlynol roedd apathi iach wedi gafael yn dynn ynddo.

Roedd y boen yn ei bledren yn gwaethygu a phenderfynodd nad oedd dim amdani ond troi i'r cyfeiriad arall a gyrru adref ar hyd y ffordd gwmpasog. Unwaith yr âi o olwg y ciw gallai dynnu i mewn wrth ochr y ffordd, petai raid, a mynd y tu ôl i berth. Byddai hynny'n gallach na digio'i gyd-deithwyr yn y rhes ddiawledig yma. A doedd e ddim am godi ofn ar lond bws o eisteddfodwyr ffyddlon fyddai'n siŵr o fynd heibio yr union eiliad y tynnai ei bidyn allan. Wrthi'n dychmygu ymateb y fath gynulleidfa, a mwynhau digrifwch y foment yr oedd Gareth pan ddaeth y cerbyd cyntaf ers ugain munud heibio o'r cyfeiriad arall. Eiliadau'n ddiweddarach gwelodd oleuadau brêcs y ceir ym mlaen y rhes hir yn troi'n goch ac yna'n diffodd cyn goleuo eto'n ddiamynedd. Arwydd bod pethau ar symud, a phlygodd i fynd yn ôl i mewn i'w gar.

Wrth iddo yrru'n araf heibio i'r pafiliwn, sylwodd ei bod yn babell enfawr. Synnai fod cynifer o bobl yn dal i grwydro'r maes, ac ambell blentyn yn eu plith. Dylai fynd â Callum, meddyliodd. Byddai'n dwp peidio â mynd, a'r brifwyl ar stepen eu drws. Dydd Sadwrn nesaf, efallai. Gallen nhw fynd am y dydd, neu am y prynhawn o leiaf. Doedd e a Callum byth yn mynd i unman gyda'i gilydd y dyddiau hyn. Doedd y ffaith honno ddim yn ei wneud yn drist a doedd e ddim yn colli cwsg yn ei chylch. Gor-ddweud fyddai hynny, ond doedd e ddim yn falch o'r sefyllfa chwaith. Penbleth y dyn newydd, mae'n rhaid, er nad oedd hwnnw, pwy bynnag y bo, ddim mor newydd erbyn hyn.

Diffoddodd injan y car o flaen y tŷ teras a rhuthro am y drws ffrynt heb drafferthu i gloi'r cerbyd. Rhedodd drwy'r lolfa a'r gegin i'r stafell ymolchi yng nghefn y tŷ ac ni sylwodd tan iddo orffen ei orchwyl nad oedd neb arall gartref. Dringodd y grisiau i'w stafell wely a thynnu ei ddillad gwaith yn awchus. Hoffai'r ddefod feunyddiol hon. Dynodai'r ffin rhwng ei fywyd angenrheidiol a rhyddid, o ryw fath. Nid bod ganddo lawer o hwnnw y dyddiau yma, ond doedd dim byd o'i le ar ychydig o hunan-dwyll, a bodlonodd â'r cyfaddawd hawdd. Doedd dim byd o'i le ar ddogn o ragrith, meddyliodd. Âi mor bell â dweud bod ei angen er mwyn gallu cadw i fynd o ddydd i ddydd. Gorweddodd 'nôl ar y gwely yn ei ddillad isaf gan deimlo meddalwch y cwilt trwchus o dan ei gorff blinedig. Doedd e ddim yn rhy anfodlon ei fyd. Trueni nad oedd ganddo well swydd. Roedd y cwmni'n ddifyr o leiaf, er bod y cyflog yn crap. Ond roedd y cyflog yn crap am fod y gwaith ei hun yn crap. Gosod systemau stereo mewn ceir o fore gwyn tan nos. Doedd ryfedd fod arno chwant profi peth o'r man gwyn man draw diarhebol weithiau.

Ar ôl munud neu ddwy o fyfyrio fel hyn penderfynodd wisgo delwedd y 'dyn rhydd' a mynd i chwilio am ei fab.

Peth od bod Siân heb adael nodyn. Er, doedd e ddim mor od â hynny, chwaith, erbyn meddwl. Digwyddai'n amlach y dyddiau hyn. Tybiai Gareth weithiau ei bod hi'n dechrau blino arno. Os felly, dylai hi ddweud. Efallai y dylai yntau ddweud rhywbeth. Ei holi. Doedden nhw byth yn trafod pethau pwysig, meddyliodd. Wrth iddo gerdded ar hyd y pafin cul i dŷ Glenys, llanwodd ei ben â phob math o amheuon. Roedd mam Siân yn rhy gyfleus. Dyna'r gwir amdani. Doedd e ddim yn un i gymryd mantais. Doedd hynny ddim yn deg. Gwyddai nad oedd dim tamaid o ots ganddi. Callum oedd ei byd, ac roedd yntau'n dwlu ar ei fam-gu. Efallai bod Siân yn iawn i'w adael gyda'i mam. I'r diawl, felly. Pam lai? Roedd pawb yn gytûn ar y mater. Gwenodd wrth droi i mewn i stryd Glenys. Gyda lwc câi rywbeth i'w fwyta ganddi. Doedd dim byd yn bod ar gymryd mantais ambell dro!

'Haia Glen! Fi sy 'ma. Ody Callum 'da ti?'

'Mae e 'di mynd mas ar 'i feic. O'dd e a Scott yn moyn mynd lan y parc.'

'Ti 'di gweld Siân?'

'Nawr a'th hi o' ma. Ti newydd 'i cholli ddi.'

'Le a'th hi?'

Daliodd y fenyw ganol oed i edrych tua'r teledu ym mhen draw'r stafell fach gan sicrhau ei bod yn osgoi llygaid partner ei merch.

'Ffonodd Rhian Jenkins. Ma hi a Emma a un neu ddwy arall yn mynd mas. Rhwbeth ma'r Eisteddfod wedi'i drefnu mae'n debyg.'

'Eisteddfod? Mynd mas ar y *piss* ti'n feddwl. Der

'mla'n, Glenys. Ers pryd ma Siân wedi c'meryd unrhyw ddiddordeb yn y blydi Eisteddfod? Crist, byddi di'n gweu'tho i nesa bod hi'n canu mewn parti blydi beth-ti'n-galw . . . y peth 'na pan ma nhw'n whare'r delyn a pobun yn canu mas o diwn!'

'Wel pam na 'set ti'n mynd mas 'fyd. *Go on*, cer i ga'l cwpwl o beints. All Callum sefyll fan hyn 'da fi. Sdim ysgol fory.' Gwyddai Gareth ei bod hi'n swnio'n rhy daer a synhwyrai fod Glenys hithau'n gwybod hynny, ond roedd hi mewn twll. Gallai ddychmygu'r ffrae yn y bore rhyngddi hi a Siân, a'r rhybudd arferol i'w merch fod yn fwy ystyriol. Roedd e'n hen gyfarwydd â'r patrwm a'r cyhuddiad ei bod hi'n 'hunanol fel ei thad'.

'Nace 'na'r point, Glenys. Pam na 'se hi wedi gadel nodyn neu tecsto fi i weud le o'dd Callum? Fi yw 'i dad e.' Gwyddai Gareth yntau nad dyna oedd gwir achos ei ddicter. Oedd, roedd e wedi'i frifo, ond rywle ym mherfeddion ei fod teimlai fod rhywbeth mwy ar droed, a doedd ganddo mo'r gallu na'r awydd i geisio'i wynebu.

'Mynn rwbeth i' fyta 'da fi nawr a ffona Stuart. Walle bydd whant mynd mas ar Alun. Sdim ishe esgus ar y ddou 'na!'

*   *   *

Doedd y Brit erioed wedi bod mor llawn nac mor feddwol. Pan gyrhaeddodd Gareth y bar, wedi chwarter awr o wthio deheuig, prynodd ddwy rownd er mwyn sbario gorfod mynd 'nôl drwy'r un sgarmes yn rhy fuan. Roedd y straen i'w weld ar wyneb Glyn a Rita y tu ôl i'r bar ac ar y myfyrwyr oedd wedi cael gwaith annisgwyl am wythnos yn ystod gwyliau'r colegau i helpu ymdopi â'r don eisteddfodol. Roedd yr ymwelwyr wedi hala ofn ar y criw arferol, mae'n rhaid, achos doedd Gareth ddim yn adnabod fawr neb. Wrth iddo weithio'i ffordd 'nôl trwy'r dorf penderfynodd ei fod e'n hoffi'r teimlad o led-ddieithrwch ar ei domen ei hun. Roedd yn braf cael bod ynghanol pobl newydd. Roedd yn wahanol. Roedd e'n newid o'r undonedd arferol. Fel rhyw dipyn o gêm ag amser a lle. Wythnos arall a byddai popeth 'nôl yn yr un hen batrwm, yn union fel petai'r criw hwn heb fod ar gyfyl y lle. Am nawr roedd e'n barod i fynd gyda'r llif. Pan lwyddodd i gyrraedd Stuart ac Alun, gosododd y diodydd ar y ford yn ofalus cyn cydio yn un o'r gwydrau a chynnig llwncdestun i Glenys am ei haelioni, ac am fethu â thorri'n rhydd oddi wrth ei heuogrwydd mamol, afresymol.

Roedd Gareth wedi adnabod Stuart ac Alun erioed. Roedden nhw wedi mynd trwy'r ysgol gyda'i gilydd. Nhw oedd yr unig ddau o'r criw gwreiddiol i beidio â chael partner. Roedd pobun arall wedi hen setlo. Byddai Gareth yn ystyried hynodrwydd hynny'n aml – fel arfer pan fyddai'n gorwedd ar wastad ei gefn ar draws sedd flaen cerbyd yn ffidlan gyda rhyw wifren anhydrin. Dyna pryd yr âi llawer o syniadau trwy ei feddwl. Siân, Callum, ei job, fe ei hunan, popeth fel'na. Gwibiai'r cyfan trwy ei feddwl fel pryfed y nos yn cael eu denu at oleuadau car cyflym cyn marw yng ngwres y twyll. Dyna'i drafferth. Doedd e byth yn gallu mynd â'r maen i'r wal. Roedd e bron yn sicr bod Alun yn hoyw, ond doedd e erioed wedi dangos hynny. Efallai bod Stuart yn gwybod – bod Alun wedi sôn wrtho. Nhw oedd y ffrindiau pennaf, wedi'r cwbl. Efallai nad oedd Alun yn gwybod yn iawn ei hun. Er, ac yntau'n wyth ar hugain oed, dylai hynny fod yn amlwg bellach, ffor ffyc sêc. A Stuart. Wel Stuart oedd Stuart. Yn hen ddyn cyn ei amser. Edrychodd ar ei ddau gyfaill ac yna ar wynebau meddwol y dieithriaid o'u cwmpas, a theimlodd nad oedd yn perthyn i'r naill na'r llall.

'Be ti'n feddwl 'te?' gofynnodd Gareth.

'Be ti'n feddwl o beth?'

'O hwn i gyd. Rhain.' Amneidiodd Gareth i gyfeiriad y dorf gynyddol wrth iddo yfed o'i wydryn yr un pryd.

'Ma digon o sŵn 'da nhw.'

'Oreit. Be sy'n bod 'da tam' bach o sŵn?'

'Tam' *bach* wedest ti?'

Doedd Gareth ddim mewn hwyl dadlau â Stuart, yn enwedig ynghylch rhywbeth mor ddi-ddim. Arferai deimlo felly gyda'i rieni pan oedd yn ei arddegau, ond roedd hynny'n iawn. Fel'na roedd pethau i fod gyda rhieni. Yn sydyn reit roedd e'n hanner difaru dod i'r Brit o gwbl. Roedd Stuart yn mynd ar ei nerfau, weithiau, yn gwneud iddo deimlo'n hŷn na'i oed. Pwysodd â'i gefn yn erbyn y wal anesmwyth gan deimlo patrwm y papur trwy ei grys tenau. Yr un papur oedd wedi cael ei baentio â'r un lliw ugeiniau o weithiau dros y blynyddoedd nes ei fod yn amhosib ei dynnu oddi yno. Doedd newid, felly, ddim yn hawdd. Aeth y canu'n uwch a'r meddwi'n amlycach. Patrwm oedd hwnnw, hefyd, meddyliodd.

Ymhen ychydig cododd i fynd i'r tŷ bach a gwthiodd heibio i'r dorf hylifol am yr eildro mewn llai nag awr. Pan gyrhaeddodd y lle pisio roedd yn rhaid aros i gyrraedd y cafn. Roedd ugeiniau o yfwyr eisoes wedi bod yno o'i flaen gan adael gwynt sur, eisteddfodol drwchus ar eu hôl. Brysiodd i orffen ac aeth yn ôl i ganol y sŵn. Sleifiodd rhwng yr ysgwyddau a'r breichiau a'r gwydrau llawn cwrw, ac yn sydyn teimlodd law yn gwasgu blaen ei jîns. Roedd y weithred yn fwriadus ac yn bendant, ac yn gwbl, gwbl feiddgar. Roedd Gareth eisiau gwenu ond llwyddodd i ymatal, a gwthiodd yn ei flaen trwy'r dyrfa gan osgoi edrych i lygaid neb. Ymunodd â'i ddau gyfaill heb sôn dim. Yn hytrach, disgrifiodd gyflwr y tŷ bach, ac ar ôl cael yr ymateb disgwyliedig, pwysodd yn erbyn y wal fel cynt, a suddodd yn ôl i'r mudandod blaenorol.

Wrthi'n ystyried profiad y llaw grwydrol oedd e pan estynnodd merch wallt golau beint o gwrw iddo. Cyn iddo gael cyfle i ddiolch iddi, crwydrodd i gyrion y dorf heb edrych 'nôl. Edmygodd Gareth ei steil.

'Pwy ffyc yw honna?' Roedd wyneb Alun yn bictiwr.

'Sda fi ddim amcan, ond wi'n gwbod un peth, ma gafel gryf 'da hi!' atebodd Gareth gan wenu'n hunanfoddhaus.

Ni thrafferthodd ymhelaethu wrth ei ddau gyfaill. Yn hytrach, cydiodd yn ei ddiod newydd a llyncu'r cwrw meddal yn synfyfyriol. Wrth ei golwg dyfalai Gareth ei bod hi tua dwy ar hugain oed, ond wrth ei hosgo gallai fod yn hŷn. Roedd yn anodd bod yn hollol siŵr. Roedd hi gryn chwe blynedd yn iau na fe, felly. Yr un genhedlaeth. Ond tybiai Gareth taw dyna oedd ffin unrhyw dir cyffredin. Yr eiliad honno cododd chwant tresmasu arno, ac wfftiodd unrhyw syniadau am ffiniau.

'Diolch am y peint!' Prin y gallai glywed ei lais uwchben y gweiddi o'u cwmpas.

'Croeso! O'n i am iti ga'l e.'

'Pam fi?'

'Weles i ti'n ishte gyda dy ffrindie a penderfynes i fod angen codi dy galon di! O'n i am weld gwên ar dy wyneb.'

'Ife dyna pam gafaelest ti yn 'yn fôls i gynne?'

'Sylwest ti?'

''Set tithe wedi sylwi 'fyd.'

'Ond sdim bôls 'da fi.'

'O, wi'n siwr bod 'na!'

'Yn ffigurol, falle.'

'Beth?'

Chwarddodd y ddau cyn ildio i sŵn y dafarn orlawn.

'Siwan ydw i, gyda llaw.'

'Gareth.'

'Ble ti'n aros?'

'Beth ti'n feddwl?'

'Ti 'ma am yr wythnos?'

'Cariad, wi 'ma am byth!' Gwridodd Gareth wrth glywed y geiriau'n gadael ei wefusau. Doedd hynny ddim o reidrwydd yn wir, meddyliodd. 'Wi'n byw 'ma. Wi'n dod o fan hyn.'

'Iesu. *Local specimen!* Cwmrâg lleol ac yn y bla'n, yn cymysgu 'da Steddfodwyr! Ma pobol fel ti'n brin.'

'*Piss off.* Pwy wedodd bo ni'n cymysgu 'da chi?'

'Beth yw hyn 'te?'

'Lle ni yw hwn. Chi sy'n cymysgu 'da'r plebs.'

'Tiriogaethol iawn! Ti am fynd i rwle mwy niwtral?'

'Cynnig yw hwnna ife?'

'Os mynni di, cariad! Ni'n rhentu tŷ am yr wythnos. Dyw e ddim yn bell o fan hyn.'

'Pwy yw'r "ni" 'ma?'

'Ffrindie. Awn ni?'

*   *   *

Dihunwyd Gareth gan sŵn y glaw yn erbyn ffenest y llofft ddieithr. Roedd e'n oer, a thynnodd gynfasau'r gwely dros ei frest a'i goes gan ofalu peidio â deffro'r ferch ddieithr wrth ei ochr. Y tu allan gallai glywed trymder olwynion ceir yn pasio ar y tarmac gwlyb. Teimlai'n hwyr. Trodd ar ei ochr a gweld y dillad a adawyd yn frysiog ar y llawr, a hanner gwenodd wrth gofio'r blys i gyrraedd y gwely. I gnucho. I odinebu. I gydorwedd â rhywun na wyddai am ei bodolaeth tan ddeuddeg awr yn ôl. Doedd e ddim wedi bod gyda menyw arall ers blynyddoedd. Ers cwrdd â Siân. Doedd e ddim wedi teimlo'r awydd. Doedd dim angen. Ta beth oedd ei gwendidau, allai ddim cwyno am ei sgiliau caru hi.

Ffyc. Byddai'n rhaid ei hwynebu yn y man. Roedd hi'n sicr o fynd yn wallgof. Yn gorfforol hyd yn oed. A byddai'r llwch yn cymryd dyddiau i ddisgyn. Cachu hwch. Eto, roedd hi'n haeddu cymaint â hynny o nwyd. Ei shew hi fyddai hon. Fe oedd ar fai. Y basdad gwirion, yn meddwl trwy ei goc ac yn siarad trwy dwll ei din. Er mwyn hon wrth ei ochr! Ond doedd e ddim yn difaru go iawn. Fe ddigwyddodd, a dyna fe. Doedd dim troi 'nôl. Roedd gan Siân ei hanes ei hun a byddai hi'n cofio hynny wrth dynnu'r gyllell eiriol. Gwyddai sut i chwarae'r gêm. Ond roedd un peth yn sicr, châi hi ddim clywed y gwir. Roedd ganddo yntau hawl cadw rhywbeth hefyd. Caeodd ei lygaid mewn ymgais i ohirio realiti anorfod yr oriau nesaf. Siân, Callum, y gwaith. Roedd e mewn twll. Cododd ar ei eistedd yn sydyn a thaflu cip ar y ferch wrth ei ochr wrth iddi araf ddadebru. Gollyngodd ei goesau dros erchwyn y gwely a safodd yn syth.

'Ma pen-ôl pert iawn 'da ti! Mae e hyd yn oed yn neisach yng ngole dydd.' Trodd Gareth i wynebu'r fyfyrwraig fronnoeth a orweddai rhwng y cynfasau, ond nid atebodd. 'A nid 'na'r unig beth pert sy 'da ti! Dere 'nôl i'r gwely.'

'Ma rhaid i fi fynd. Sori. Ma rhaid i fi fynd nawr.' Plygodd i gasglu ei ddillad oddi ar y llawr a thynnodd ei drôns a'i drowsus amdano gan gadw ei gefn tuag ati. Gallai deimlo'i dirmyg yn ei serio ond doedd ganddo mo'r gallu i newid dim.

'Pam wyt ti ar gymaint o frys?'

'Cyfrifoldebe,' atebodd Gareth yn ddideimlad gan daflu hynny o ddirmyg 'nôl i gyfeiriad y gwely cynnes.

'Pwy?'

''Yn fab, 'y mhartner, gwaith.'

'Cydwybod, felly, nage cyfrifoldeb!'

'Na, fel wedes i, cyfrifoldeb,' a symudodd tuag at y drws yng nghornel y stafell.

'Soniest ti ddim byd neithiwr.'

'Pam 'te, fydde hynny wedi neud unrhyw wanieth? Cest ti a fi beth o'n ni'n dou yn moyn.'

'Os arhosi di chwarter awr, gallwn i roi lifft i ti.'

'Bydde'n well 'da fi gered, diolch. Fydde fe ddim yn iawn.'

'Ydw i'n mynd i dy weld ti eto yr wthnos 'ma?'

''Swn i ddim yn meddwl. Smo'r Steddfod yn golygu llawer i fi.'

'Pwy soniodd am Steddfod?'

'Wel 'na pam ti 'ma, nage fe?'

'Dim ond yn rhannol. Ma gan y brifwyl ei hatyniade oddi ar y maes hefyd!'

101

'Hwyl.'

'Cymer hwn.' Cododd Siwan o'r gwely ac ymbalfalu yn ei bag cyn gwthio carden i law Gareth a'i gusanu ar ei wefusau.

*　　　　*　　　　*

Pan gyrhaeddodd Gareth y tŷ hanner awr yn ddiweddarach, hanner disgwyliai i Siân fod yno yn disgwyl amdano. Nid dyna fyddai'r tro cyntaf iddi golli diwrnod o waith ar ôl noson fawr, ac roedd ganddi fwy o reswm y tro yma. Ar un olwg byddai'n well ganddo wynebu'r storm yn syth, yn hytrach na gadael i'r cymylau gyniwair yn raddol yn ystod bore a phrynhawn hir. Gwyddai fod ganddo lawer i'w golli a gwyddai y gallai golli'r cwbl lot. Crwydrodd drwy'r tŷ a chymysgwyd ei drefn pan ddarganfu ei fod ar ei ben ei hun. Dringodd y grisiau i'r stafell wely er mwyn tynnu amdano a dechrau'r broses o ddiosg ei dwyll. Ar ôl dodi ei ddillad brwnt yn y fasged wiail ar ben y landin, aeth i lawr y grisiau a mynd, yn noethlymun, 'nôl drwy'r gegin i'r stafell ymolchi yn y cefn. Camodd yn eiddgar o dan lif oer y gawod. Roedd e am gael gwared â'r sawr. Roedd e am olchi ei gwynt oddi ar ei groen fel petai'r weithred unigol honno'n ddigon i leihau ei gamwedd. Bu yno am sbel, yn rhwbio a glanhau pob rhan o'i gorff.

Ar ôl gwisgo dillad glân teimlai Gareth rywfaint yn barotach i ymgodymu â'r celwyddau oedd i ddod. Cydiodd yn ei ffôn symudol er mwyn holi ynghylch Callum, ond hanner gobeithiai na fyddai Glenys gartref. Sylwodd fod rhywun wedi gadael neges ar ei beiriant ateb a dechreuodd fynd i banig. Dychmygodd Glenys neu Siân yn ceisio cysylltu ag e ar frys, ac yntau ar frys i gnucho merch ddieithr mewn gwely dieithr. Chwaraeodd y peiriant ateb ond doedd dim llais. Sgroliodd ar hyd ei restr enwau nes cyrraedd rhif Glenys.

'Haia, fi sy 'ma. Ti wedi bo'n trio ffono fi?'

'Na. Pam?'

'Sdim rheswm. 'Sdim byd yn bod. O'n i'n gweld bo rhywun wedi mynd drwodd i'r peiriant ateb ar y ffôn ond heb adel neges. 'Na gyd. Ody Callum yn iawn?'

'Ody, ma fe'n dal yn gwely.'

''Na fe 'te. Well i fi fynd.' Roedd e'n ymwybodol fod ei law'n chwyslyd wrth iddo symud y ffôn oddi wrth ei glust. Gwridodd am ben ei holi dibwrpas. Doedd Glenys ddim yn dwp. Safodd â'i gefn yn erbyn y wal oer a chlywed yr adrenalin yn rasio trwy ei gorff. Byddai angen perfformiad tipyn gwell os oedd am argyhoeddi Siân. Roedd e wedi methu'r prawf cyntaf a doedd e ddim hyd yn oed wedi gorfod edrych i fyw llygaid neb. Sgroliodd am yr eildro ar hyd ei restr cysylltiadau a ffoniodd y gwaith. Âi e ddim i mewn heddiw. Dywedai ei fod yn dost. Byddai'n well na cholli dwyawr o bae am gyrraedd yn hwyr.

'Hia . . . *It's me, Gareth. Put Trefor on will you.*' Arhosodd yn ddiamynedd i'w fòs ddod i'r ffôn. 'Tref, shwd i ti boi? G'randa, wi'n t'imlo'n uffernol. Wi 'di bod ar y bog drw'r nos. Ma rhaid bo fi 'di byta rhwbeth *dodgy* nithwr. Alla i ddim dod miwn heddi, sori.'

Wrth iddo ddiffodd ei ffôn teimlai'n fwy hyderus. Roedd dweud celwydd am yr eildro yn haws, meddyliodd. Pwysodd yn ôl yn ei gadair a chau ei lygaid.

103

Mae'n siŵr bod Siân wedi mynd i'r gwaith. Oni bai am yr oriau hir o ddisgwyl cyn iddi ddod adref, oni bai am y ffrwydrad anorfod oedd yn siŵr o ddilyn, bron iawn na allai fwynhau rhyw wefr yn sgil yr hyn a wnaethai. Doedd e byth yn gwneud dim byd yn wahanol i'r arfer. Doedd e byth yn cael cyfle. Ond roedd 'na bethau, ac roedd 'na bethau.

Daeth diwedd sydyn ar ei synfyfyrio pan glywodd ddrws y ffrynt yn agor ac yn cau. Cododd yn sydyn a rhuthrodd y gwaed i'w ben. Gallai deimlo'i galon yn curo fel gordd. Doedd e ddim wedi disgwyl mynd benben mor fuan. Ond doedd dim troi 'nôl nawr. Yn yr ychydig eiliadau cyn i Siân ddod i sefyll o'i flaen ceisiodd orchfygu'r teimlad ei fod yn ymddangos yn euog, ond ni allai fod yn siŵr i ba raddau roedd e wedi llwyddo.

'Haia. Weles i'r car mas tu fas. Beth ti'n neud gatre?'

Roedd Siân yn dal yn ei dillad joio, a doedd ei phartner ddim yn ei ddillad gwaith. Roedd pethau'n datblygu'n gyflym. Yn rhy gyflym. Doedd ganddo ddim amser i ymresymu na phendroni, ond gwyddai Gareth yn reddfol ei fod yn saff. Ymyrraeth ddwyfol. Lwc. Digwyddiad anesboniadwy. Ond roedd e'n saff. Doedd hi ddim tamaid callach. Doedd dim eisiau iddi wybod dim.

'Gallen i ofyn yr un peth i tithe,' atebodd yn sicr, gan wneud yn fawr o'i ddihangfa.

'Sori, ond sefes i mas nithwr.'

'Ma golwg y diawl arnot ti. Le fuest ti?' Nid dyna oedd y cwestiwn roedd Gareth eisiau ei ofyn, ond gwyddai na allai fforddio bod yn fasdad hunangyfiawn. Eiliad yn ôl roedd e wedi llwyddo o drwch blewyn chwannen i ddianc rhag ffrwydrad, ac roedd yn ddigon o ddyn i wybod pryd i beidio â throi'r gyllell. Deallai yntau reolau'r gêm, hefyd. Eto, rhaid oedd ei chwarae.

'A'th hi'n noson fowr rhynt popeth. Etho i 'nôl i dŷ Emma a cysgu man'na. Beth yw dy esgus di?' Gorfododd ei hunan i wenu gan ofalu osgoi llygaid ei phartner yr un pryd.

'Esgus? So, esgus yw hwn? Rhwbeth wi ddim fod gredu, ife?'

'Oreit, rheswm 'te. Paid â bod mor blydi berffeth! Wi'n trio gweud sori!'

'Sdim ishe esgus arna i.' Trodd Gareth i wynebu'r ffenest gan rythu trwy'r gwydr glawog ar y tai gyferbyn.

'Pam nag 'yt ti yn y gwaith 'te?'

'Cyhuddiad yw hwnna?'

'Wel, ti'n dost ne beth?'

'Na, wi ddim yn dost. Etho i ddim i'r gwaith am bo fi ddim moyn mynd. Am bo fi ddim yn becso dam, 'run peth â ti. Diolch am y neges, Siân. Diolch am adel i fi wbod dy blans di. Am adel Callum gyda dy fam unweth 'to heb weud gair wrtha i. Diolch am neud i fi ddishgwl fel tit unweth 'to.'

'A! 'Na beth sy'n dy gorddi di. Reit! Nage achos bo fi wedi bod mas drw'r nos. A 'na le o'n i'n medd . . .'

'Piss off, Siân!'

Brasgamodd Gareth tuag at ddrws y lolfa a'i gau'n glep ar ei ôl. Rhedodd i fyny'r staer i hôl ei siaced sip cyn taranu yn ôl i lawr y grisiau ac allan trwy ddrws y ffrynt. Taniodd injan y car a gyrrodd ar hyd y stryd heb fedru penderfynu p'un ai i fod yn ddiolchgar neu'n grac. Cachwr oedd e, a doedd dim gwadu hynny. Cachwr diegwyddor. Basdad lwcus. Ond hen ast oedd Siân, a doedd dim gwadu hynny, chwaith. Doedd e ddim wedi mynd dros ben llestri. Ychydig o actio gwael, efallai. Dyna'r cyfan. Hynny a'r diweddglo disgwyliedig. Beth arall allai fod wedi'i wneud? Crist o'r nef, roedd hi'n disgwyl cymaint â hynny, os bosib! Gofalai na fyddai'r storm yn para'n hir. Dim ond digon i argyhoeddi. Roedd yn ddiolchgar iawn, iawn, ond roedd e wedi danto, hefyd. Roedd 'na elfen o wir yn ei brotestiadau sychdduwiol. Arafodd y car a thynnu i mewn i gilfan wrth ochr y ffordd. Roedd ei ddwylo'n chwyslyd. Pwysodd â'i ben yn erbyn y llyw a cheisiodd anghofio manylion y melodrama.

Arhosodd felly am rai munudau cyn cofio bod ganddo ddiwrnod cyfan o benrhyddid. Diwrnod i'r brenin; iddo'i lenwi fel y mynnai. Petai'r tywydd yn fwy hafaidd âi am dro ar hyd y traeth yn Rhosili neu Gefn Sidan, a mynd am ginio mewn tafarn yn y wlad, ond roedd hi'n ddiflas ac yn pigo bwrw bob yn ail funud. Neu fe allai fod yn ddyn i gyd a mynd am sesh ar ei ben ei hun o gwmpas tafarnau'r fro, ond dim ond rhai trist oedd yn gwneud pethau felly, penderfynodd. Ac o'r hyn a welsai y noson cynt, byddai tafarnau'r fro yn llawn grwpis meddwol a ddilynai bob eisteddfod er mwyn meddwi'n gachu o fore gwyn tan nos gan taw dyna un o'r ychydig ffyrdd oedd ar ôl i fod yn herfeiddiol yn gyfan gwbl yn y Gymraeg. Dim ffycin diolch. Cychwynnodd y car drachefn ac ymunodd â'r ffordd fawr. Cyn hir aeth yn rhan o giw traffig yr Eisteddfod a symudai'n araf tua Meca yn y Mwd. Doedd e ddim wedi bwriadu mynd, ond wrth iddo nesáu at y troad i'r maes parcio dilynodd Gareth y ceir eraill heb ormod o wrthwynebiad. Roedd 'na dro cyntaf i bopeth, meddyliodd.

Wrth iddo gymryd ei docyn mynediad i'r maes o law'r fenyw yn y bwth pren, gobeithiai Gareth y byddai'n werth y gost. Cerddodd yn hunanymwybodol draw at y fynedfa, a synnodd weld un o'i hen athrawon yn cyfarch y selogion wrth iddo gasglu eu tocynnau a rhwygo'r bonion. Bu deugain mlynedd o gorlannu plant a gweiddi cyfarwyddiadau yn brentisiaeth dda ar gyfer y dasg wirfoddol hon ar ddechrau ei ymddeoliad. Bu golwg bwysig arno erioed. Yr un croeso â phawb arall gafodd Gareth, dim byd mwy, a dim byd llai, er iddo dreulio blynyddoedd yn rhan o'r ddiadell ddysg. Dafad ddu oedd e bryd hynny, hefyd. Rhyfedd, felly, nad oedd wedi aros yn y cof. Cymerodd y bonyn oddi wrtho ac aeth heibio heb ddweud dim.

Roedd y maes yn fawr a'r pebyll gwyn yn bell oddi wrth ei gilydd. Fan hyn a fan draw crwydrai grwpiau bychain o bobl rhwng y rhesi o stondinau, rhai mewn parau, eraill mewn grwpiau ychydig yn fwy. Safai rhai i wylio'r cynnyrch o bell neu i holi ynghylch rhywbeth neu'i gilydd. Gwisgai pawb ddillad addas at y glaw mân oedd yn dal i syrthio'n dyner. Roedd yr awyr yn isel ac yn llwyd gan amlygu to streipiog y pafiliwn ym mhen draw'r maes. Roedd e'n atgoffa Gareth o babell syrcas, a chofiodd am y tro hwnnw pan aeth e a Siân a Callum i weld acrobatiaid a digrifwyr o Fosgo'n mynd trwy eu pethau ar ryw ddarn o dir diffaith ar gyrion Abertawe, a'r gynulleidfa'n gweiddi am fwy. Hufen iâ, diodydd ffisi a llond pabell o *bravado*. Byddai Callum yn dal i sôn am hynny. Yna, clywodd lais clasurol yr unawdydd yn bloeddio i bob cwr o'r maes ar yr uwchseinyddion, a dihunodd o'i lesmair. Cerddodd yn ei flaen ar hyd ymyl y maes cyn troi tua'r canol ac i lawr rhwng rhagor o siopau a phebyll. Doedd e erioed wedi gweld cymaint o bethau Cymraeg ar werth. Byddai'n rhaid prynu rhywbeth i Callum, ond beth? Crwydrodd yn ei flaen nes cyrraedd siop yn gwerthu crysau-T a siwmperi o bob math. Clywodd ei hun yn chwerthin am ben ambell logo ffraeth. Aeth y drws nesaf, i'r siop lyfrau, a dechreuodd bori yn yr adran blant. Cerddodd i ben draw'r rhes ac ymlaen i'r nesaf, heibio i'r stondinau crefyddol ac amgylcheddol a'r cymdeithasau iechyd a'r sefydliadau addysg, cyn penderfynu ei fod e eisoes wedi pasio'r goreuon, a throes 'nôl i gyfeiriad y siwmperi a'r llyfrau a'r cryno-ddisgiau, a oedd bellach yn cystadlu â cherddoriaeth y pafiliwn. Yma, o leiaf, roedd pobl wedi dod o hyd i rywbeth i'w brynu, meddyliodd. Dewisodd siwmper chwys ac iddi logo'n canu clodydd y tîm pêl-droed cenedlaethol. Prynodd lyfr, heb wybod i sicrwydd a fyddai'n addas i'w fab, ond i'r diawl, roedd e yn Gymraeg! Gwthiodd y llyfr i mewn i'r bag plastig mawr ar ben y siwmper a cherdded allan. Roedd ganddo ddwybunt ar ôl a phenderfynodd fynd am ddiod.

Digon diflas oedd y coffi er gwaethaf ei enw ffansi a gwisg ffug-Eidalaidd y ferch a'i gwerthodd iddo. Daeth o hyd i gadair blastig wen a dododd ei gwpan ar y ford o'i flaen a gadael i'r ddiod oeri ryw ychydig. Roedd y glaw mân wedi peidio o'r diwedd ond roedd yr awyr yn llwyd o hyd, ac yn llawn. Edrychodd ar y ffyddloniaid yn cerdded heibio iddo, a nabyddodd e ddim un. Cyn bo hir byddai'r Eisteddfod wedi codi ei phac a mynd. Yfodd lymaid o'r coffi a phwysodd 'nôl yn y gadair i ystyried y cyfan. Hanner gwenodd wrth feddwl amdano'i hun yn dod i'r fath le, ac ar ei ben ei hun. Ni allai weld yr apêl flwyddyn ar ôl blwyddyn, chwaith. Doedd e ddim am rannu'r cyffur cenedlaethol arbennig yma. Casglodd yr arian gleision oddi ar y ford a rhoi'r darnau ym mhoced ei siaced. Gallai deimlo'r garden a gawsai gan Siwan y bore hwnnw a thynnodd hi allan a darllen ei chynnwys. *Siwan Gwyn MA, Ymgynghorydd Marchnata* a'i chyfeiriad a dau rif ffôn a chyfeiriad e-bost a gwefan. Roedd hi'n daer iawn, roedd hynny'n amlwg, meddyliodd Gareth. Roedd ganddo yntau brawf o hynny. Menyw â'i bryd ar afael yn yr hyn roedd hi'n ei chwennych. Cawsai yntau ei ddymuniad, hefyd, a'i ddiwallu, a doedd e ddim yn edifar, ond doedd e ddim yn chwennych rhagor o Siwan Gwyn. Rhwygodd y garden yn ei hanner a gollyngodd y darnau ar ben gweddillion ei goffi oer. Âi adref yn y man. 'Nôl at Siân. Fydden nhw ddim yn trafod y mater eto gan y byddai geiriau'n pigo'r grachen ac yn ailagor y briw. A byddai Glenys yn cynnig cadw Callum am noson arall am fod gweld ynddi. A byddai Siân ac yntau'n mynd i'r gwely. A byddai'r bennod ar ben.

*   *   *

Roedd yn hydref arbennig o fwyn. Haf bach Mihangel, dyna ddywedodd Glenys. Doedd Gareth erioed wedi clywed y dywediad.

'Ma hi wastod yr un peth. Siwrne ma'r plant yn mynd 'nôl i'r ysgol ma'r glaw yn stopid. Bob blwyddyn 'run peth. Ac o'dd yr Eisteddfod yn ffradach. Ti'n ffilu trefnu bygyr ôl yn y wlad hyn.'

'Pam 'te, Glen, 'set ti wedi mynd 'se hi 'di bod yn braf? Ti 'rio'd wedi bod i Eisteddfod yn dy fyw!'

Cofiai Gareth chwerthin am ben taeru gwag ei ddarpar fam-yng-nghyfraith ar y pryd. Heddiw, fodd bynnag, doedd fawr o chwant chwerthin arno wrth iddo yrru heibio i safle bwrlwm mis Awst, ar ei ffordd i Abertawe. Yr unig dystiolaeth bod Eisteddfod wedi bod o gwbl oedd y lleiniau mawr o wair melyn a'r mwd sych oedd yn amlwg ar hyd caeau chwarae Parc y Llyn o hyd. Fe gymerai sbel fach i wella. Dyna ddywedodd y doctor amdano yntau. Ar ôl edrych yn ei geg ac edrych ar ei bidyn.

'Wi'n eitha siwr beth yw e, Gareth, ond wi am i chi fynd i'r clinig yn Abertawe am brawf gwaed er mwyn bod yn berffeth siwr. Falle byddan nhw am gymryd sampl o'r bacteria hefyd. Chi wedi dala siffilis.'

Roedd y gair wedi swnio mor hynafol, mor ddieithr, fel rhyw glefyd a berthynai i'r bedwaredd ganrif ar bymtheg ac a oedd wedi hen ddarfod o'r tir. Aethai drwyddo fel sioc drydanol, yn waeth na dim byd a gawsai tra oedd yn gweithio ar y ceir.

'Mae'n hawdd ei drin, ond bydd yn rhaid cadw golwg arnoch chi am ychydig fisoedd. Pidwch becso. Beth am eich partner?'

Syllodd Gareth ar y ffordd o'i flaen. Roedd geiriau'r meddyg yn mynd a dod yn ei ben. Pasiodd un o arwyddion melyn yr Eisteddfod a oedd heb gael ei dynnu i lawr. Anadlodd yn ddwfn a cheisiodd benderfynu sut i ddweud wrth Siân.